Chaos express vers le bonheur

Serge Karp

Chaos express vers le bonheur

Roman

LE LYS BLEU

ÉDITIONS

That he not busy being born
Is busy dying

Celui qui n'est pas occupé à naître
Est occupé à mourir

Bob Dylan

Préface

C'est l'histoire d'une soirée folle, d'un théâtre obscène et sexuel, où Sacha, petit-fils de la Shoah, une oreillette vissée dans l'oreille, va en mission pour Anne-So, redoutable prédatrice, alors qu'il est au service de son mari, l'ignoble JMdR. L'idée est de trouver le carnet secret de JMdR, pour qu'Anne So puisse s'affranchir à son avantage de ses liens conjugaux, mais aussi de transformer Marie Solange de la Roche, qui doit signer un contrat avec le prédateur, en putain obscène. On le comprend tout un programme, où strings mouillés côtoient godemichés flamboyants, sans compter que d'autres personnages hauts en couleur rejoignent la fête. Il est possible que le style de Serge Karp rebute certains. Il est outrancier, un peu baroque, déborde volontiers. Personnellement, il pourrait me faire penser à Clovis Trouille, ce peintre qu'André Breton qualifiait affectueusement de « Grand maître de cérémonie où tout est permis. » C'est de cette façon qu'il faut appréhender la lecture de *Chaos express vers le bonheur*, un moment où vous pouvez tout vous permettre.

Vincent Ravalec

1

Mon cul posé sur un rocher, je ferme les yeux. Premiers rayons du soleil. Une légère brise marine caresse mon visage. Parfum des pins et murmure de la Méditerranée. Je m'abandonne, dans l'espoir que cet instant s'étire hors du temps, indéfiniment. *Qu'il suspende son vol !* Je sais, Lamartine, tout le monde la connaît, celle-là, mais j'aime les citations, le rapprochement qu'elles permettent avec d'autres âmes. Mon corps goûte cette quiétude. Mon esprit, lui, s'est envolé. Trop tard pour le rattraper.

Virage à 180 degrés.

Retour 12 heures en arrière…

✦

Je montre patte blanche à l'entrée de la superbe villa Rosebud, surplombant la mer. C'est la propriété de Jean-Marie Deshayes, alias « appelez-moi JMdR ! » C'est comme ça qu'il aime à se présenter, genre tycoon. Il est le mari détesté de ma maîtresse du moment, Anne Sophie du Grimoir, prestigieuse ambassadrice du luxe à la française, alias « appelez-moi Ann So ! »

Ce soir, JMdR donne une réception. Son ambition : faire pâlir de jalousie les oligarques russes passablement maffieux des alentours. Faire passer leurs folles soirées pour d'aimables goûters de jeunes filles.

✦

Qui suis-je en vérité ?

Un bouffon mondain dont l'usage immodéré des citations est l'une des marques de fabrique.

À ce sujet, cette chère Ann So et sa petite clique de happy few aiment à parler d'aspérité, de uniqueness. Ça les flatte. Ainsi m'invitent-ils à poser une demi-fesse à leurs côtés.

Outre ce rôle de bouffon cultivé, j'occupe surtout dans leurs intimités, sans discrimination de sexe, une éminente place de baiseuse mondaine. On m'y prête une arme fatale : la langue !

Dès qu'il s'agit de cul, de près ou de loin, avec passage à l'acte ou pas, mes mots, ma voix, mon phrasé, mon toucher les enflamment. Je ne me prive pas d'en jouer. Macadam cowboy 2.0 des salons mondains, doté à leurs yeux d'un super pouvoir, je suis leur sulfureux chaman du sexe. Et d'une demi-fesse posée à leur table, voici mon corps tout entier, maître de leurs couches – façon de parler.

C'est riche de cette sulfureuse réputation, sous une identité d'emprunt usurpée à quelque descendant de la noblesse princière russo-polonaise, que je franchis le seuil de la villa Rosebud.

✦

Qui suis-je aussi ?

Sacha Bleskowicz, petit-fils de la Shoa, hanté par les fantômes d'un passé qui se matérialise par quelques photos et deux reliques, exilées dans un coin de mon grand appartement haussmannien désert, d'où je risque sous peu de me faire virer.

Les photos :

Ma grand-mère, jeune fille blonde aux longs cheveux, habillée en homme. Elle tend fièrement son fusil au milieu des partisans, avec la forêt pour arrière-plan. Mes arrière-grands-parents, petits vieux plantés devant leur maison en bois d'un Shtetl des Tatras. Nina, ses yeux immenses, ses lèvres magnifiquement ourlées, que je n'ai pas su aimer.

Les reliques :

Un vieux disque de l'Armée rouge datant de la guerre. Un violon abîmé, avec un mot griffonné sur un bout de tissu : « Violon de la Shoa, violon magique… Écoute son âme, elle guidera la tienne. »

Quand je ne suis pas occupé à faire le brillant mariole ou la putain, je passe des heures dans la pénombre de cet appartement, bercé par la voix sombre et caressante de Léonard Cohen ; les adresses tendres, cinglantes, poétiques de Dylan ; l'andante du concerto pour violon de Tchaïkovski ou les mélodies gipsy rock enivrantes de la fanfare des mariages et des enterrements de Goran Bregovic. Tels sont mes compagnons de solitude. Ils ne sont pas de ma génération. Souvent des traces de mon père, disparu sans laisser d'adresse.

Monsieur Henri, un vieux juif russe à l'accent merveilleux, est au contraire une vraie présence dans ma vie. Il a croisé mon père encore enfant sur les chemins de l'exil. J'ai fait de lui mon père de cœur. Il est un des rares à qui j'ouvre les portes de cet appartement.

✦

Sinon tout va bien. Rattrapé par les magouilles et les dettes de mon géniteur – son modèle c'était Madoff, Picasso des escrocs ! j'ai vingt-quatre heures pour payer une somme astronomique aux propriétaires de l'appartement ou je suis à la rue.

C'est là qu'intervient cette chère Ann So.

Nous sommes une semaine en arrière. Les deux Sacha ne font plus qu'un.

Détendue, nue, heureuse de s'être fait sucer, Ann So se lève nonchalante, se rhabille, me regarde d'un air provocant. Avec la froideur d'un exposé mathématique, elle m'énonce :

— Je t'ai fait inviter à la fête que donne ma pourriture de mari. Ta réputation t'ayant précédé, je n'ai pas même pas eu besoin de faire l'article. Tu seras l'attraction de la fête, l'archange du sexe qui fera de sa partouze ordinaire l'orgie la plus mémorable de l'histoire de la Côte ! D'ici à ce qu'il se prenne pour Néron ou Caligula... mais je l'aurai détruit avant ! Tu vas m'y aider. Et voilà comment :

Mon époux très cher tient un carnet noir. Je l'ai surpris à se faire jouir, lisant à haute voix le tas d'insanités qu'il y consigne sur le dos de ses fréquentations et prétendus amis. Ce carnet, il le cache dans la villa où sera donnée la fête. Trouve-le, remets-le-moi. Je ferai une bouchée de ce mari parfait, homme d'affaires à succès et prédateur de caniveau.

Donnant, donnant... Tu réussis, je t'offre une place de choix dans le grand monde et paye immédiatement les dettes de ton appartement. Tu échoues, je ruine ta réputation. Te détruis. Te jette à la rue. Simple comme bonjour, mon chéri, n'est-ce pas !

Je suis resté sans réaction.

Elle m'a souri, comme si elle venait de me proposer un deal ordinaire.

✦

Retour à hier, 18 heures. Le soleil décline.

En smoking et d'un pas félin, j'avance dans l'allée centrale de la luxueuse propriété de monsieur son mari – JMdR !

2

Je suis discrètement équipé d'une oreillette invisible d'un côté et d'un gros diamant caméra placé sur l'oreille, de l'autre. Grâce à ce dispositif, Ann So surveille et dirige les opérations, planquée dans une villa du voisinage.

Elle ne fréquente jamais les fêtes de JMdR. « Nous n'avons pas gardé les cochons ensemble ! Question de valeurs, pas de pudeur », ironise-t-elle avec délice.

Cette suffisance au rabais me donne envie de lui rire au nez. Je n'en fais rien.

Au rythme d'une techno chill-coucher de soleil, les invités papillonnent dans le bruissement des soies et étoffes précieuses dont sont faites les tenues de ces dames. Extravagantes, provocantes, tentatrices, elles se veulent élégantes et sexy. Les hommes en smokings noirs ou blancs la jouent virils. Tout ce joli monde se tourne autour et se renifle le cul.

Ça pose, ça minaude dans un brouhaha de rire, de gloussements, de tintement de verres et de paroles qui s'envolent. Ça boit, ça fume, ça sniffe, servi par une petite armée de beaux jeunes gens, mini jupes à ras de cul et tee-shirts très échancrés pour les filles, pantalons hyper moulants et marcels pour les garçons. La notion de service a dû leur être présentée dans une version très étendue. Ici et là, des messieurs aux carrures d'athlètes veillent. Indifférents à cette excitation montante et du genre pas commodes.

Moi j'avance vers le grand perron de la villa, avec JMdR en ligne de mire, entre les têtes.

✦

Visiblement ma réputation m'a précédée.

À mon passage, tous les regards se tournent vers moi. Et Ann So n'a pas l'intention de me laisser chômer.

— À ta droite ! intervient-elle impérative, dans l'oreillette.

Il s'agit d'une femme en robe fourreau, fendue très haut sur l'avant, qui fait semblant de s'offusquer, pendant qu'un homme se colle à elle par-derrière en lui mordillant l'oreille.

J'affiche un regard concupiscent, avance vers la dame, refaite mais jolie. La voix d'Ann So m'éperonne comme si j'étais son cheval.

— À l'ouvrage, mon cher, pas de manière ni de mesquinerie !

Par la fente de sa robe, je glisse la main entre les cuisses de la dame – string tout mouillé, ça commence bien. Je me penche sur son oreille libre, hume son parfum poudré, y introduis la langue en imitant un vague bruit de reptile tentateur. Ma devise : faire confiance à l'imagination de la cliente. Son « ohhhh nooon », préalable à une petite pâmoison, me donne raison.

Je ne laisse pas monsieur en reste, lui saisis l'entrejambe, le flatte d'un regard complice de mâle à mâle. Il bande dur. Lui et sa dame se trémoussent comme parcourus par un courant électrique. Mission apéritive accomplie, je m'éloigne.

— Eh bien voilà ! approuve Ann So.

— Madame est-elle satisfaite ?

Je provoque. Ann So me rappelle à l'ordre.

— Tu fais ce pour quoi tu as été invité, cher magicien de mes fesses. Ne l'oublie jamais !

Et elle m'assigne aussitôt une autre tâche :

— Celle-ci ! Elle te mange des yeux.

C'est sans appel. Vite fait, bien fait : un baise-main, un regard de braise, un effleurement le long du bras de cette blonde peroxydée échappée d'une story Instagram à prétentions sexy.

— Vous êtes le fameux Sacha ! soupire-t-elle tout émoustillée, en plongeant son regard dans le mien.

Je réponds par un long murmure, ponctué d'un interminable « pour vous faire Jjjjj… ouiiii…rrrr… »

La blonde peroxydée est aux anges.

— Et les hommes ! ordonne Ann So qui ne me lâche pas d'une semelle.

J'active ma plasticité libidinale. Saisis le premier homme venu pas trop ventripotent. L'entraîne dans une passe de tango lascive, tout en lançant un regard enjôleur à sa cavalière, sèche comme une trique, au make up d'influenceuse vulgaire repiqué sur Tik Tok et dévêtue d'une robe du soir au dos immensément nu.

Elle me répond d'un « huuum… » libidineux et émerveillé qui n'en finit pas.

Un éclat de rire retentissant stoppe net mes petites affaires.

◆

À ce rire tapageur, répond une bordée de gloussements évoquant une envolée d'oiseaux après un coup de fusil – JMdR et sa cour !

M'intronisant à grand renfort de gestes « clou érotique de la soirée », JMdR attire sur moi l'attention générale.

— Mon con de mari ! claironne Ann So dans l'oreillette.

Je n'ai plus qu'à avancer vers lui, au milieu des invités excités qui se collent à moi.

JMdR a l'allure élégante, féroce, charmeuse. Flatté de la comparaison avec Daniel Craig en James Bond, il évoque un fauve sur le qui-vive. Il caresse, plaisante, affiche un sourire parfois aussi cinglant et vénéneux qu'une morsure de serpent. Tous savent qu'il peut griffer, piquer ou mordre sans crier gare.

3

Dans sa villa refuge du voisinage, Anne Sophie suit avec satisfaction le déroulement des opérations sur un immense écran.

Ceci ne l'empêche pas de me rappeler systématiquement à l'ordre, persifle Sacha.

— Ça lui fait du bien, à ma petite catin ! se gausse-t-elle.

Elle adore avilir ses jeunes amants. Sinon, l'interpellation dont Sacha vient de faire l'objet la rassure. « Clou érotique de la soirée » c'est exactement ce qu'elle a vendu à JMdR.

La première étape de son plan fonctionne. Elle peut se détendre.

Elle se laisse aller dans un moelleux récamier. Prends la pose. Dans sa main, un long fume-cigarette. Elle souffle la fumée. Même sans miroir, elle se regarde. Anne Sophie du Grimoir s'aime et se plaît dans le magnifique déshabillé de soie, revêtu pour la circonstance. Dans son monde, les autres sont des objets dont elle jouit puis qu'elle jette. Accessoirement des parures flatteuses qu'elle exhibe dans les soirées.

Si Sacha est sa parure préférée du moment, cette nuit, il doit se rendre utile à toute autre chose :

— Anéantir mon cher mari, avant que ce salaud ne fasse de moi sa proie. Je connais son talent de prédateur. Je l'ai vu à l'œuvre. Et qu'il m'ait refusé le divorce n'est pas une bonne nouvelle.

✦

La lumière du soleil couchant pénètre par les grandes fenêtres de la pièce.

Être dans la même lumière qu'eux, même à distance, me permet de mieux ressentir les choses. C'est ce dont Ann So est persuadée.

Branchée, ésotérisme, énergie, synchronicité, elle s'est fabriqué un véritable petit autel vaudou voué à la réussite de son entreprise : un guéridon nappé de velours violet, des bougies, de l'encens, un phallus entouré de fleurs et deux photos : JMdR et Sacha. La photo de JMdR adossée au phallus est transpercée par un magnifique couteau au manche en abalone.

— Un Laguiole au féminin, cadeau de ce cher Sacha lui-même, sourit Ann So, féroce, invariablement élégante.

Ann So regarde les images de la caméra-espionne posée sur Sacha. Observe son avancée vers JMdR, sa distribution de baise-mains, de mains aux fesses, aux entrejambe… les visages qui se tendent vers lui, les bouches aux sourires salaces.

— C'est ça, fais-le mariner mon cher mari. Exhibe ton talent. Fais-le bander. Énerve-le. Provoque-le. C'est un porc ! glisse-t-elle dans l'oreillette.

— Sans jamais perdre de vue pourquoi tu es là. Sinon,

— Sinon je suis fini ! coupe Sacha. Soudain étouffé par la pression d'une main qui lui écrase sauvagement les couilles.

✦

Sacha n'a rien vu venir. La bouche de JMdR est maintenant collée à lui, comme s'il allait me rouler une pelle en me broyant les parties ! J'ai son haleine menthol et son Sauvage de Dior plein les narines. Choix banal et évident : top ten des parfums masculins et Johnny Depp. Pas le temps de philosopher sur les goûts du Monsieur ; le fauve me crache son venin dans l'oreille.

— Un rappel avant que je ne vous la présente : vous êtes là pour transformer Marie Solange de la Roche en putain obscène, devant la caméra cachée de la bibliothèque. Ma salope de femme m'a assez fait l'article : votre pouvoir, votre langue, votre regard hypnotique, vos aptitudes suggestives, votre queue magique et tout le toutim ! Vous allez vous en servir pour faire ce que je vous dis. Le reste ne vous regarde pas. Ensuite la nuit est à vous. Carte blanche pour me ravaler les partouzes ruskofs au rang de matinées récréatives pour gamines prépubères ! Votre seule option : réussir.

Je sais être reconnaissant, ajoute -t-il avec un sourire carnassier qui fait la paire avec celui affiché par sa tendre épouse.

Pour Sacha ça se complique. Monsieur lui met le grappin dessus et Madame a tout entendu.

— Je vais l'anéantir. Et tu vas m'y aider, c'est ta seule option, réagit-elle aussitôt.

Sacha n'a pas le temps de se perdre en conjectures.

Un éclatant « *c'était plié. Jeu, set et match !* » qui résonne au milieu des rires et des applaudissements, le ramène sèchement à l'ici et maintenant.

✦

— Marisol et ses groupies ! trompette JMdR.

Et relâchant subtilement son étreinte, il désigne d'un geste théâtral une créature qui me scotche à distance.

Jamais vu une telle détermination émaner d'un visage aussi radieux que celui posé sur les épaules de cette femme. Impossible de m'en détacher.

Et son regard ! Des yeux gris, bleus, gris-bleu, bleu-gris, je n'en sais rien ! C'est brillant, coupant comme le diamant. Je ne sais pas qui d'elle ou de moi peut découper l'autre, mais je n'ai qu'une envie : m'y coller.

Et son allure ! Cheveux court à la garçonne. Porno chic, néo-punk, allez savoir !... Mitaines de dentelles noires, magnifiques bottines vernies qui donneraient presque envie de se faire botter le cul. Minijupe et un haut comme une armure qui fait pigeonner une poitrine admirablement proportionnée. Je devine le cœur qui palpite derrière le vernis.

C'est hardcore. Admirable ! une femme de pouvoir dans la plénitude de ses pas quarante ans, qui tranche violemment sur cette faune où pourtant on s'est donné le mot pour se faire remarquer.

Soudain, il n'y a plus qu'elle. Si c'est ça Marie Solange de la Roche, ça promet !

— Marie Solange de la Roche dite Marisol ! confirme Ann So. Une tueuse de la com ! Mais une de plus qu'il est en train de baiser, en lui faisant croire qu'il va lui racheter sa boîte.

— Fais-t'en une alliée, ajoute-t-elle froidement.

◆

JMdR me conduit vers Marisol. Il me serre le cou, pour bien me faire sentir son pouvoir.

Une fois arrivé à sa hauteur, il ouvre la bouche.

— Je vous présente Marie Solange de la Roche alias *Appelez-moi Marisol sinon je mords !* La petite cour pouffe. JMdR poursuit.

— Marisol est la prestigieuse patronne de M Sol.Com. Reine de l'influence avec laquelle j'ai le privilège d'être associé.

JMdR adresse un sourire fielleux à Marisol.

— Elle me fera bientôt l'honneur de me vendre le solde de ses parts.

Marisol répond d'un sourire impénétrable, suivie d'un long silence. Un ange passe.

Un sourire acidulé de Joconde, pour lui jeter son mépris en pleine tronche… Magnifique ! pense Sacha.

◆

Derrière le masque à l'expression élégante et condescendante, les idées défilent à 300 à l'heure dans la tête de Marisol.

Me servir le coup du carrossier… Quel bouffon ! « J'achète la voiture, puis je lui trouve tous les vices cachés pour pulvériser son prix… » Ce charognard déguisé en homme d'affaires n'a rien trouvé d'autre. S'il savait comme les histoires de fric sont derrière moi… L'agence, je la vends et basta ! Fin des jeux du cirque. Ce crétin voit ça comme une faiblesse. Il se croit prédateur, c'est un guignol. « Mon premier métier a été de rependre des entreprises à la barre du tribunal », lançait-il fièrement aux prestigieux clients que je lui présentais. L'imbécile ! Le voilà maintenant à me faire chanter pour me dépouiller. Il veut l'agence, pour rien. L'argent : pas mon problème. Mais le chantage : NON. Très peu pour moi.

Le spectacle de Sacha en train de faire le beau interrompt le cours des pensées de Marisol.

— Ah ! mes amis, l'influence ! L'influence, mes amis ! L'influence ! déclame Sacha haut et fort, en s'écoutant parler.
— Qui est ce guignol ? pense-t-elle.
Sacha sent qu'elle le regarde. Il en rajoute :

23

— Qui sont nos ancêtres, nos inspirateurs ? Les Machiavel, Mazarin, Metternich et autre Talleyrand, ou les bouffons shakespeariens ? Aux premiers, je préfère les seconds !

— Oh ! s'exclame le petit groupe.

— Et les poètes… Rimbaud… *Elle est retrouvée ! Quoi ? L'éternité. C'est la mer mêlée au soleil* Mar i sol ! conclut Sacha, son regard droit dans les yeux de Marisol, entre insolence et éblouissement.

Le petit groupe se pâme.

— Vous m'en direz tant ! tacle Marisol.

Elle tourne les talons et s'éloigne sans lui prêter la moindre attention.

JMdR affiche un sourire sarcastique.

D'un geste méprisant, il enjoint à Sacha d'aller s'occuper de Marisol.

4

Sacha part fiévreusement à la recherche de Marisol, perdue dans la foule des invités.

Autour de lui, ça flirte, ça se caresse, ça se provoque, ça rit aux éclats, ça danse. C'est un immense corps en mouvement, une mer hachée de multiples courants désordonnés.

Parfois entraîné dans une farandole, Sacha s'empresse de sauter du train en marche. Vite alpagué pour une autre danse, il lève la tête, joue des coudes pour se frayer un passage et tenter d'apercevoir Marisol.

Dans un bosquet, des invités snifent de la coke sur les culs découverts de deux servants à quatre pattes (femme d'un côté, homme de l'autre ; leurs langues s'agaçant mutuellement dans un petit jeu impudique). Dans un autre, on joue à colin-maillard, version attouchements intimes et caresses prolongées. Dans un autre encore, un couple de servants, choisis pour leurs attributs, soumettent les invités à une loterie ouvrant un droit aléatoire à de petits sévices sexuels.

À croire que JMdR a fait appel aux services d'un metteur en scène porno gros budget, pense Sacha.

Il tente de presser le pas. Se fait harponner par des invités. Hommes, femmes, impossible de refuser. Des mains anonymes lui saisissent les fesses, les couilles, la bite. Des bouches se pressent vers la sienne. Il répond précipitamment à leurs sollicitations par des baisers furtifs, des caresses, des attouchements, des mots glissés à l'oreille. Un délicieux frisson libidineux parcourt la foule alors qu'il la traverse.

Dès qu'il le peut, Sacha se dresse sur la pointe des pieds à la recherche de Marisol.

✦

— Du calme ! lâche sèchement Ann So dans l'oreillette.
J'ai dit que Marisol devait être une alliée, pas ton obsession. Ta seule obsession : le carnet !
— Tu auras ton carnet. Je gère mes alliances, coupe Sacha. Surpris et à la fois satisfait du ton acerbe de sa réponse.
— Tu t'oublies ma petite pute ! cingle Ann So.
Sacha ne réagit pas, trop occupé à ne pas perdre de vue Marisol.
Il l'aperçoit furtivement tourner à l'angle du bâtiment principal. À force de contorsions au milieu des danseurs survoltés et bien qu'emporté par un nouveau tourbillon, il parvient à la voir s'engouffrer dans la villa par une porte de service.
Ann So qui a détesté l'indifférence de Sacha à son coup de griffe, en rajoute une couche :
— Je me répète… Tu es tout juste ma petite pute… Une demie mondaine ! Trahis-moi, j'envoie ton âme au diable et réduis ta microscopique réputation en cendres. Direction poubelle !

✦

Au mot cendre, un voile tombe sur les yeux de Sacha. Il bascule dans un autre monde :

— J'avance dans un univers de coton. Des fantômes bougent au ralenti tout autour. Ils font des bruits sourds qui s'étirent jusqu'à s'éteindre, étouffés dans un silence de brume percé par les éclats sporadiques et assourdissants d'un bombardement.

Ainsi perçoit-il l'ouragan techno qui emporte la fête. Sacha est si loin…

— Dans un zoo, au milieu des bombes… Deux crocodiles se font face pour un seul marigot. Ils ouvrent grand leurs gueules. Visages monstrueusement déformés de JMdR et d'Ann So. Ça en fait un de trop et moi au milieu !

Un son suraigu pénètre soudain comme une vrille dans l'oreille de Sacha :

— La voix distordue d'Ann me renfonce le mot cendre jusqu'au tréfonds de l'âme.

La vague déferlante d'un océan mémoriel submerge Sacha. Le rejette, couvert de cendres, au milieu d'un champ de ruines. La plainte lointaine d'un violon lui parvient, portée par une imperceptible brise.

— Shoa. Anéantissement. Seul mot qui me vienne. Seul mot perdu dans un silence irréel, face à la morgue d'Ann So :

— Obéis… Sinon je te réduis en cendres !

Je la regarde droit dans les yeux, emporté par un sauvage désir de vengeance, pour les miens.

— J'en viens des cendres ma chérie !... Auschwitz-Birkenau, Treblinka, Sobibor, Majdanek… Ça, tu ne le sauras jamais.

Sacha a craché ses mots au visage d'Ann So. Mais c'est juste un rêve. Il n'a rien fait.

✦

Emporté par le flot des danseurs surexcités, il s'est laissé flotter au gré de la houle, dans l'attente de pouvoir s'en extirper. Son esprit moulinait à pleine vitesse.

— JMdR m'a ordonné de piéger Marisol. Ann So veut que je m'en fasse une alliée. Ce qui rend cette Marisol incontournable. Et si elle était un joker dans ce jeu de poker menteur ? À coup sûr, une carte inconnue. Nouvelle. Explosive. Excitante.

Marisol ! Truc inattendu, sauvage, lascif ! Ça tombe bien. Après tout, je suis là pour ça. Autant joindre l'utile à l'agréable.

Marisol vient d'allumer en lui quelque chose d'inédit. Ça pique. Et ça lui plaît.

✦

Des gouttes de sueur perlent sur son front. Dégoulinent sur son visage, son cou. Sa chemise lui colle à la peau. Sacha parvient à s'extirper de la foule des invités, une bouteille de vodka toujours à la main. Il entrevoit la porte dérobée qu'a empruntée Marisol.

Les derniers embrasements du soleil couchant allument un incendie au-dessus de la fête. Sacha lève les yeux au ciel. Admire. Cette puissance, cette beauté me ferait croire en Dieu. Elle m'offre surtout l'énergie pour survivre.

Et il se précipite vers cette porte, à la suite de Marisol.

5

Marisol a trouvé refuge dans les arrière-cuisines désertées, au milieu des verres et accessoires de service du cocktail. Elle est assise par terre. Excédée, au téléphone avec son avocat.

— Vous avez cédé trop vite ! Trouvez un moyen de gagner du temps. Contre-attaquez. Moi je fais semblant de résister. Je veux qu'il s'imagine prendre le dessus. Et là, je frappe, je tabasse. Vous appliquez ma stratégie ou vous sortez du dossier.

— Je vous envoie une vidéo. Regardez, vous comprendrez, répond l'avocat impassible.

Le temps de télécharger la vidéo, Marisol revoit à l'accéléré le film des deux dernières années.

✦

Signature de la vente de M Sol.Com ; j'étais heureuse, j'allais me libérer de ce barnum dont j'étais devenue une vedette.

« Le monde est une scène, tous les gens des acteurs. » Enivrée de cette phrase de Shakespeare dont j'avais fait ma griffe, je m'étais prise pour la marionnettiste qui tire les ficelles. J'avais faux. Je n'étais qu'un rouage d'une immense machine à laver et manipuler.

On signait. C'était une délivrance. Encore deux années de transition et je tirais ma révérence. Accord classique. Sourires convenus, amabilités de façade, après qu'un dernier coup de chaud ait failli faire capoter la vente. – *Nous n'avons pas pris cet épisode au sérieux. Cela fait partie du jeu*, avaient assuré mes avocats, la main sur le cœur. Pour eux, tout allait bien. JMdR m'a servi un beau discours du genre *vous êtes l'âme de cette agence, Julien, votre compagnon* – on en parlera plus tard de celui-là ! *un créatif de génie. Ensemble, nous allons faire de merveilleuses choses. Et vous gardez 30 % des parts pour deux ans encore. Je m'en réjouis. C'est formidable !*

Bullshit ! Et moi, menteuse en chef, reine de la com et créatrice du magnifique concept d'influence que j'avais réussi à imposer au monde des agences et des médias, aux dépens du vilain mot de manipulation, j'ai tout gobé. Bernée comme une naïve petite conne romantique devant une arnaque au prince charmant déboulant au grand bal des faux culs.

La suite : deux années d'enfer à supporter la vanité méprisante de JMdR, sa manière obséquieuse de se pousser du col, ses saillies brutales, péremptoires, ses penchants despotiques.

Le pire, ce fut le licenciement de Clara, mon assistante. Il a exigé que j'assiste à la scène. Il avait fabriqué contre elle, un dossier irréfutable. Je ne pouvais pas refuser. Ce fut cruel, inhumain. Il a sorti une à une des pièces accablantes, produits de manipulations et de chantages soigneusement réitérés dont j'ignorais l'existence. Il jouissait de cette exécution lente : l'injection à doses répétées du poison de la calomnie. Je restai muette, impuissante.

Je revois son sourire satisfait, pincé, figé en un masque sardonique. C'était glaçant.

Alors j'ai fui. J'ai fui le regard désespéré de Clara qui cherchait le mien. Elle a eu beau se défendre, crier à la manipulation. JMdR avait si bien ficelé la chose. J'ai préféré le croire. J'ai honte.

Ce sourire de pervers sadique, je l'ai revu de plus en plus souvent. Il l'affiche en faisant semblant de le retenir, avec une délectation qu'il sait vous faire sentir quand il triomphe.

Dernier épisode : le traquenard.

Au nom de je ne sais quelle philosophie bidon du compromis, mon avocat avait pris l'initiative de faire quelques concessions, pour parvenir à monter la réunion qui devait tout régler.

J'entre dans la salle du conseil d'administration. Au centre trône JMdR. Autour de la table, ses actionnaires : de vieux mâles blanc pâle. Pour un peu, je les aurais poudrés, comme à Versailles. Et mis dans de la naphtaline. Je les voyais comme un groupe de vautours aux crânes déplumés, habillés de costumes sombres bien coupés, parfumés pour faire oublier leur odeur de charognes. Lorsque JMdR a affiché son sourire de prédateur, j'ai compris.

À l'inverse de ses homologues du monde animal, JMdR affiche du plaisir à l'idée du sang. Quant aux charognards, ces impuissants bandaient par procuration. Un huissier a déposé devant moi une pile de documents, tellement haute que j'ai dû me lever pour voir autre chose que du papier. JMdR a attendu que je croise son regard. Et il a tout balancé : abus de biens sociaux, malversations de toutes sortes, manœuvres subreptices, garantie de passif, dol, manœuvres frauduleuses, manœuvres ceci, manipulations cela… Documents, témoignages et pièces à l'appui ! Je n'y comprenais rien tant ça parlait une autre langue que la mienne. Des années dans le monde des affaires, je n'avais encore jamais vu ça.

Là, dégoulinant d'aplomb et de certitude, JMdR m'a sorti son coup du carrossier. « On efface tout. Mais vous nous remboursez 50 % de ce que nous vous avons déjà payé. Et vous cédez le solde des actions à 20 % de la valeur prévues. » Il jubilait. J'ai encaissé, vacillé.

Comme pour Clara, ça semblait imparable. J'ai été voir mon avocat. Il m'a suggéré de continuer à négocier. Je lui ai fait confiance. Cet imbécile a cédé sur tout. « La défaite et le déshonneur ! » Churchill pouvait se retourner dans la tombe. Je l'avais bien trahi, mon Winston ! Pourrie, ma source d'inspiration ! Impossible de me regarder dans la glace. Ma lâcheté face à Clara m'est revenue en boomerang.

Alors, laisser JMdR gagner ? Impossible. Humainement, moralement, politiquement, impossible !

Et l'autre paon qui me cite Rimbaud et se prend pour Éros !

✦

Le son du téléphone ramène Marisol à la réalité du moment. Vidéo chargée. Avocat sous tension. Marisol regarde.

Sous ses yeux défile un authentique album de famille : photos, captures d'écran et vidéos, émaillées des sarcasmes de JMdR. Ça commence par un *Dans la famille collabo, je demande le grand-père !* Apparaît à l'écran la photo d'un milicien vichyste faisant le salut nazi. En vignette, une femme en tailleur stricte, entourée de dignitaires du 3e Reich, lors d'une audience auprès du pape Pie XII. Le tout barré du titre *Le milicien tortionnaire et la grenouille de bénitier !*

— C'est tout ce qu'il a trouvé ! Exhumer les photos de mes salauds de grands-parents, datant du siècle dernier, s'énerve Marisol qui laisse la vidéo défiler.

La suite est à l'avenant.

Nouveau titre : *Il torturait, elle valsait avec des gigolos !* Nouvelle photo.

— Cette vieille bique hilare et provocante, aux bras de grands blonds bottés en uniformes SS de chez Hugo Boss… Et alors ! En quoi cela me concerne-t-il ?! s'énerve Marisol à l'adresse de son avocat.

— Il y a aussi les histoires de tableaux, risque l'avocat. Il s'efforce de rester placide.

Nouvelle manchette : *Le tortionnaire aimait la peinture et se servait chez ses clients, juifs de préférence, c'était plus simple !... Les tableaux sont-ils toujours chez les de la Roche ?*

— Ça suffit, explose Marisol. Je me suis défaite de ma famille de pourris depuis longtemps. Les tableaux, j'ai tout fait pour qu'ils soient rendus aux ayants droit ou à l'État. J'ai dénoncé tous les complices, ai intenté des procès, ai rompu tous liens avec la clique des de la Roche, jusqu'à laisser pourrir ma mère dans l'asile où mon salopard de père l'avait enfermée.

— C'est justement ce qui suit, répond l'avocat, sur un ton beaucoup plus dur.

Le visage de JMdR, dont les traits s'étirent en un sourire cruel, emplit l'écran.

Il égrène ses mots comme un chapelet.

— Alcool... débauche... abjection... Toute la dégradation de Madame votre mère... jusqu'à sa réclusion sous la cruelle autorité de Monsieur votre père... Spectaculaire et Shakespearien. À vous, amatrice de théâtre et de littérature, cela devrait plaire ! Marisol blêmit à l'évocation du sort de sa mère. Un flash-back la transperce d'un million d'aiguilles, transformant sa peau en un tissu électrique. Envie de hurler. Tant de sécheresse dans sa bouche, qu'elle ne peut sortir le moindre son.

Son père vide toutes les bouteilles d'alcool de sa mère dans une poubelle. Il la fixe, laissant tomber les bouteilles une à une pour qu'elles se brisent. Les infirmiers aux allures de gardes du corps la piquent, la bâillonnent, l'attachent et l'emmènent sur un fauteuil roulant.

Marisol se revoit immobile, impuissante, lâche, immensément lâche, un cri étouffé au fond de la gorge.

Sur l'écran de son smartphone s'affiche un nouveau gros plan du visage de JMdR. Marisol y retrouve le sourire sadique de son père. Une nouvelle vague de honte la submerge, charriant les figures défaites de sa mère et de Clara. Elle explose.

— Qu'il répande ça où il veut ! Sur les réseaux, à la presse, la bien-pensante, la malveillante, aux médias poubelles, aux redresseurs de torts, à mes banquiers, à mes amis juifs, à mes clients, à tous les tarés qui traînent sur internet, je m'en fous !

Marisol a beau s'époumoner, son avocat ne cille pas. Il a dû couper le son du téléphone. Laisse passer quelques longues secondes. Puis il ajoute calmement :

— Si cela vous est vraiment égal, pas de souci. Il ne s'agit pas véritablement de vous, j'en conviens. Et c'est de l'histoire ancienne... Même si pour votre mère, ce n'est pas vraiment fameux. Toutefois, permettez-moi d'insister. Regardez la vidéo jusqu'au bout. Vous comprendrez.

✦

Elle regarde. Elle comprend.

— J'ai aussi plus contemporain ! fanfaronne JMdR avec un air de blaireau triomphant qui abat son carré au poker, après avoir fait tapis.

Suivent une série de photos d'un homme jeune à la plastique avantageuse. Quasi nu. Déguisé en SS au milieu d'une partouze, dans des poses obscènes oscillant entre l'immonde et le scabreux.

— Ce cher Julien ! notre directeur artistique, le vôtre surtout... la star créative de l'agence. Votre amant et compagnon ! jubile JMdR.

Un silence. Les photos s'enchaînent. Le visage de JMdR réapparaît sur plein écran.

— Je vous épargne le reste de la collection... Bientôt à disposition universelle sur tous les réseaux ! conclut-il sur un ton faussement indifférent.

Fin de la vidéo.

Marisol reprend la conversation avec son avocat. Son humeur est à la guerre.

— Julien je l'ai sorti ce matin de ma vie à coup de pied au cul, si c'est ce que vous voulez savoir. Quant à ma réputation, j'en fais mon affaire. Que cette pourriture essaye de me salir, de me faire passer pour une dépravée néonazie ou ce qu'il voudra, j'assume. Je gèrerai toute la fange qu'il se dit prêt à déverser. Et je répondrai. Plus de lâcheté ni d'abandon. Je ne céderai pas. L'agence, il la paiera au prix fort ou il ne l'aura pas. Ce n'est plus une question d'argent, tenez-le-vous pour dit. Si vous l'entendez, c'est très bien. Battez-vous, au besoin comme un chiffonnier. Sinon, vous dégagez !

Et de raccrocher aussi sec au nez de son avocat.

✦

Marisol n'a pas le temps de se remettre de cette conversation, qu'elle réalise la présence de Sacha dans la pièce.

6

Sacha regarde longuement Marisol. Assise par terre. Livide. Son téléphone posé devant elle. Il s'approche. Lui tend la main pour l'aider à se relever.

Le contact est magnétique.

Il percevait chez elle quelque chose d'irréductible. Ce qu'il vient tout juste d'entendre en poussant la porte des arrière-cuisines conforte cette impression et fait d'elle une proie amoureuse exceptionnelle.

Sacha voit Marisol comme un défi lancé à son narcissisme. Un sommet particulièrement difficile et dangereux à gravir, ce qui la rend encore plus attirante. Adrénaline maximum, zéro sentiment, ça lui plaît. Ça l'excite.

Sans dire un mot, il la déshabille d'un regard interminable. Mobilise toutes ses ressources libidineuses. Ne lui valent-elles pas sa réputation et son strapontin à la table des rois du monde ?

— Qu'est-ce que vous avez à me regarder comme ça ! lui jette Marisol à la figure. Encore dans l'énergie de sa fin de conversation avec l'avocat. En rien d'humeur à se prêter au petit jeu obscène initié par Sacha.

— Et qu'est-ce que vous foutez là ? … Sextoy de Monsieur ? Homme de main ? … Pas votre genre. Vous êtes mignon, pas mal foutu… C'est ça. Vous êtes l'attraction du jour, le fameux super chaman de la queue ! Bite de diamant et langue de feu ! Et puis quoi encore ? … Laissez-moi deviner… Vous êtes là pour aider cet impuissant à me baiser.

Elle dévisage Sacha. Nouveau silence.

Puis ça tombe comme une sentence :

— Dégagez ! Un comme vous… j'avais le même chez moi. Je l'ai viré ce matin. Et c'était un amant admirable.

L'hostilité de Marisol érotise Sacha. Il adore ces joutes dont il sort le plus souvent vainqueur.

— *Je suis comme la vie… Un comédien qui se pavane et s'agite durant son heure sur la scène et qu'ensuite on n'entend plus…* réplique-t-il, hâbleur.

Marisol l'applaudit. Elle enchaîne, narquoise :

— *… Une histoire dite par un idiot, pleine de bruit et de fureur et qui ne signifie rien.* Ce n'est pas avec une demi-citation de Shakespeare que vous allez m'impressionner… Apprise par cœur pour épater la galerie ?

— Juste pour mieux dire ce que j'ai au fond du cœur, laisse échapper Sacha, soudain désarmé.

Marisol le regarde de haut.

Flatterie, entrechat, son cirque ne prend pas. Sacha a été touché, pas coulé. Il se ressaisit :

La montagne Marisol est vertigineuse et dangereuse. Elle largue des pierres. J'aime ça !

Il fait face au regard farouche de Marisol.

— Si on trinquait ! lance-t-il d'un air mi-bravache, mi-amusé.

Ma réponse du berger à la bergère !

✦

Sans attendre la réaction de Marisol, Sacha a saisi deux coupes à portée de sa main. Il les remplit de vodka, dont une bouteille ne l'a pas quitté, tout au long de sa tumultueuse traversée de la foule. Place une coupe dans la main de Marisol.

Elle n'a pas le temps de réagir.

— À Marc Aurèle ! « Vivre chaque jour comme si c'était le dernier. Ne pas s'agiter, ne pas sommeiller, ne pas faire semblant. » À notre rencontre ! s'exclame-t-il avec éclat, en guise de toast.

C'est sorti comme un flash irréfléchi. Une voix intérieure inconnue a parlé pour lui.

Marisol reste sans réaction, sidérée. La coupe, encore pleine de vodka, lui tombe des mains.

Ce type est un sniper ou quoi ? … Un voyant, une balance, un arnaqueur ? Sait-il seulement que je me suis fait tatouer cette phrase ce matin, au creux des reins ? Le tatoueur l'aurait renseigné. Impossible. Personne ne connaît mon tatoueur et amant palermitain, de passage éclair dans une cité de banlieue dont ce demi mondain ignore jusqu'à l'existence. Personne ne sait mes voyages en Sicile au cœur de l'hiver.

Et ce courtisan libidineux me jette cette phrase en pleine figure, comme s'il faisait sauter un bouchon de champagne ! Comme s'il lisait sur mon cul, le rejet de son monde de faux semblants, de langues de putes, de ragots et jeux de pouvoir.

Marisol repousse à grands coups de pieds les éclats de cristal répandus sur le sol.

Ils scintillent.

Elle relève la tête. Jette à Sacha un regard surjouant l'indifférence.

— Vous allez sans doute partir et je vais continuer à vous courir après, glisse Sacha souriant et provocateur.

L'impertinence de Sacha pique Marisol. La rebranche aussitôt en mode combattante.

— Ne vous donnez pas cette peine. La partouze géante va débuter. Vous en êtes la diva. Foutre et nirvana ! C'est la promesse faite par votre maître à ses invités. N'est-ce pas votre signature !

Sur ce, elle tourne une nouvelle fois les talons. Et s'en va sans autre forme de procès.

— Même sortie que lors de notre première rencontre... Jamais deux sans trois ! ironise Sacha, nullement découragé.

Il la regarde s'éloigner.

— Le Haïm ! Santé ! Nasdarowie ! lance-t-il bruyamment dans sa direction. Il tend sa coupe, la vide d'un trait, puis la jette par-dessus son épaule.

— Les bris de verre, ça porte bonheur, en particulier le cristal des coupes de champagne, même remplies de vodka ! crie-t-il à Marisol, dont il ne voit plus que le dos.

◆

Le scintillement des morceaux de cristal renvoie brutalement Sacha à une tout autre scène. Sa posture provocatrice vole en éclats.

Il se revoit dans un accès de colère régressive, s'acharnant sur un magnifique portrait encadré de Nina. Il le piétine tel un enfant piquant sa crise. La raison : Nina refuse de se prêter à l'un de ses fantasmes de partouze.

Ce portrait, Sacha l'a conservé. Ce rare élément d'intimité donne aujourd'hui une âme au grand salon nu de son appartement. Il fait l'objet d'une vénération coupable dont Sacha n'arrive pas à se détacher.

Les yeux rivés aux étincelantes brisures de cristal éparpillées sur le sol ; Sacha voit l'image morcelée du visage de Nina, son regard pénétrant, ses immenses yeux bruns. Il revoit le sourire triste qu'elle affichait, le jour où elle lui a annoncé qu'elle le quittait. Cette larme coulant sur sa joue.

Il réentend les mesures de violon de l'andante du concerto de Tchaïkovski, passer en boucle des jours durant. Il réentend la voix de Léonard Cohen agissant comme un baume sur sa douleur. Cela avait fini par apaiser sa rage. Rage que Nina l'ait quitté. Rage contre lui-même de ne pas avoir été capable de lui dire qu'il l'aimait. Rage contre l'enfant colérique qui avait tout fait foirer.

Cette même rage s'empare de lui.

Sacha piétine les morceaux de verre sur le sol. Les éparpille dans la pièce. Éclate d'un rire frénétique. Se met à danser, taper du pied, tourner sur lui-même, jusqu'à s'épuiser et vaciller comme s'il était ivre, à ne plus pouvoir tenir debout. Alors, il s'abandonne.

Un sourire triste naît sur ses lèvres. Sacha fredonne les mesures de violon qui ouvrent l'andante du concerto. Se laisse emporter par la mélodie.

J'entends le son du violon. Je perçois ses vibrations. Une onde me parcourt, bienfaisante, immatérielle. Comme si j'étais fait d'un matériau conducteur.

Tout est là de mes racines, la douceur et la douleur. La beauté et les pleurs.

✦

— Cesse de te punir... Garde de Nina le plus beau souvenir... Laisse l'âme du violon apaiser ton âme.

C'est la voix bienveillante de Monsieur Henri qui me parle ainsi au creux de l'oreille. Une voix de baryton à la russe, épaisse, douce comme une soie de velours et capable à la fois de gronder comme une énorme vague, quand elle se met à rouler les r.

Je sens sa grosse patte sur mon épaule… Massif, raffiné, élégant, il m'a pris par la main quand j'étais largué. Quand mon propre père s'est cassé sans un mot, pour ne jamais reparaître.

Monsieur Henri, mon vieil ange gardien… Il surgit quand je m'égare dans le labyrinthe du passé. Histoire de Nina. Histoire de ma famille, de sa communauté villageoise, pulvérisée depuis ses collines des Tatras au plus profond des forêts polonaises ; en fuite jusqu'aux confins de l'Oural et de l'Afghanistan, Boukhara, Samarcande, Tachkent… pour les plus chanceux, les plus solides. Le plus souvent exterminée dans les ghettos, les camps, les fosses communes, les chambres à gaz, réduites en cendre dans les crématoires, pour les autres.

Monsieur Henri se tient devant moi. Il me tend un vieux disque avec pour tout commentaire *David Oïstrak. Violon. Tchaïkovski.* Son phrasé est une invitation.

Je lui réponds en fredonnant. Je fredonne les sublimes mesures de violon du concerto.

Je fredonne. Je glisse. Je danse… Et soudain, plus rien.

La lumière blafarde et uniforme de la pièce a éteint le mouvement des ombres et des souvenirs qui m'emportait au loin. Si loin de la mission de merde dans laquelle je suis empêtré. Loin du cirque que je hais mais dont j'ai besoin pour avoir l'impression d'exister.

Un camé qui a besoin de sa dose, juste pour mettre un pied devant l'autre. Un pauvre type affalé par terre, au milieu d'une multitude d'éclats de verre, dans la triste lumière au néon des arrière-cuisines encombrées de matériel de traiteur, de la luxueuse villa de mon commanditaire.

◆

Marisol s'est arrêtée avant de quitter la pièce.

Planquée, elle observe Sacha. Déjà troublée par ce type qui lui cite en guise de toast, la phrase qu'elle vient de se faire graver dans la peau, elle l'est bien plus encore après ce qu'elle vient de voir et d'entendre.

— Ce furieux s'est proprement mis en transe, fredonnant comme un damné une mélodie qui semblait descendre du ciel, tant elle était douce et qu'il la rendait bien.

Sacha se croit seul. Il s'abandonne, dépouillé de tout artefact narcissique.

À le regarder, Marisol s'imagine un instant, faisant elle aussi tomber ses protections.

— Là ? Face à ce type ! Cette espèce de courtisan qui se prend pour une prima doña du stupre et de la citation… Et puis quoi encore !

Ainsi raisonnée, sa guerre contre JMdR ouvertement déclarée, Marisol ne se sent plus rien à faire dans cette soirée. Elle décide de la quitter.

✦

Sacha entend claquer la porte. Il n'a pas le temps de réagir. L'écho de la musique de la fête s'est engouffré dans la pièce, vite couvert par la réaction cinglante d'Ann So dans son oreillette.

— Pour une alliance, c'est réussi ! Serait-ce la fréquentation nouvelle de mon mari, qui t'a rendu à ce point minable et impuissant ? Maintenant tu rattrapes le coup. Tu fais avec ou sans Marisol, cela m'est totalement indifférent. La seule chose que je désire c'est le carnet. À tout prix ! Tu es là pour ça. Pour ça et rien d'autre !

— Message reçu, répond Sacha laconique.

La surface métallique d'un immense frigo lui offre un miroir de circonstance.

Sacha se regarde. Se trouve bien déglingué.

— Pas brillant mais réparable ! lance-t-il à haute voix à son reflet sur la paroi d'aluminium.

Idem pour la situation. Ils sont tous les deux à m'attendre le doigt sur la gâchette, prêt à tirer si je ne remplis pas leurs missions contradictoires. Niquer Marisol pour le compte de JMdR. Niquer JMdR pour le compte d'Ann So. Et jouer brillamment ma partition d'astre lubrique.

Si j'échoue, c'est représailles de tous les côtés. Moralité : j'ai à perdre de tous les côtés.

Reste une cerise sur le gâteau, même si le gâteau est tout pourri. Et quelle cerise !...

L'énigmatique ! La sauvage ! La magnifique, hautaine et désirable Marisol ! Elle, victime ? J'ai du mal à y croire.

Soudain, un immense vacarme lui parvient de l'extérieur.

7

Dans les jardins, c'est l'invasion.

Ils sont arrivés de partout, de toutes les allées. Sortant des bosquets. Sautant par-dessus les grilles. D'abord discrètement. Puis en réponse à un coup de sifflet strident, ils ont déferlé sur la fête aux rythmes endiablés d'une fanfare rock-manouche, jouant si fort qu'elle supplantait le son du DJ set.

Ils se sont mêlés bruyamment aux fêtards, hystérisés par l'arrivée intempestive de cette nuée d'énergumènes tombés d'une autre planète. Riant. Criant. Les interpellant avec une vulgarité transgressive destinée à les enflammer. De quoi donner à penser aux invités, que cette intrusion sauvage relevait d'un jeu de rôle génial proposé par leur hôte.

Ils, ce sont des elles surmaquillées. Un bataillon de trans en tenues de galas, aux accents de tous les continents, aux éclats de voix sortant de poitrines surgonflées. Hésitant entre hormones mâles et femelles, avec un goût et un volontarisme prononcé pour les femmes fatales et dominantes. Un feu d'artifice de couleurs, de matières, de décolletés provocateurs, de talons argentés, dorés, compensés et vertigineux ; de robes du soir Sunset boulevard, de vinyle rouge ou noir. Elles sont menées par Cindy, créature SM partiellement masquée, montée sur des cuissardes aux talons démesurés.

Ils, c'est une fanfare de musiciens manouches aux accents des Balkans. Costumes bariolés, chapeautés, chaussures pointues, énormes chaînes dorées autour du cou. Jouant leurs mélodies endiablées en marchant, en dansant. Ils sèment un chaos rock gipsy déjanté et jubilatoire dans le paysage de la fête.

Ils, c'est aussi Polo, dont le sifflement retentissant a donné le signal de cet invraisemblable assaut.

Polo verse dans le style icône prolo vintage à mégaphone. Grosse veste de chantier au vieux cuir épais et rigide sur le dos. Il la joue Rudi Dutschke. Ex-icône révolutionnaire de l'ultragauche allemande, mort dans sa baignoire d'une crise d'épilepsie, causée par les séquelles de la tentative d'assassinat dont il avait été victime dix ans auparavant. Polo est un idéaliste militant qui aime se faire appeler Le bolcho, son identifiant sur les réseaux sociaux.

Il s'était rêvé scénariste. Avec amertume et parce qu'il fallait bien bouffer, il est devenu régisseur. Mais il retrouve toute sa verve et sa passion quand il s'agit de haranguer les foules. En guise de foules, Polo n'est pas très regardant. Pourvu qu'il puisse monter sur quelque chose qui serve d'estrade et déblatère, le moindre petit regroupement contestataire fait l'affaire, le plus petit marchepied aussi. Toutes les raisons sont bonnes dès lors que Polo est en colère. Et Polo est tout le temps en colère. Au nom de la vérité, une et indivisible, la sienne !

Un rien le fait sortir de ses gonds. Et JMdR est beaucoup plus qu'un rien.

Derrière l'apparence brute de décoffrage qu'il se donne, Polo est avant tout un romantique, voire un sentimental. Là, il y a Cindy.

Rencontrée sur le dernier plateau de tournage dont il s'est fait virer. Tricard et sans le sou, elle lui a trouvé refuge à la Manouche Factory. Lieu de vie et scène à ciel ouvert, perdu en lointaine banlieue parisienne. Là-bas, au milieu des envolées de violons gipsy électriques d'une sacrée bande de musiciens manouches, des rires et des danses de Queen Cindy et ses transgirls, Polo s'est mué en guru, prophète et philosophe. Il est même devenu une attraction qu'on vient entendre pérorer au bout de la nuit. Debout sur son tabouret, posé au centre de la cour, on l'admire. Cindy en particulier.

— Queen Cindy, ma camarade de lutte ! s'enthousiasme Polo.

Cindy, elle, queen ou pas, vise une camaraderie bien plus érotique que politique.

✦

Ainsi débarque Polo, en tête de sa petite armée. Très vite il trouve un arbre, en haut duquel se percher. Il observe la foule des invités en contrebas. Elle se déplace en vagues anarchiques, entre exaltation joyeuse et panique.

L'irruption de sa troupe de manouches et de trans a pleinement réussi.

— À moi de jouer, pense-t-il fièrement.

C'est d'autant plus facile, que JMdR ne fait rien pour l'en empêcher. Et pour cause. Les invités lui prêtant l'initiative de ce grand délire érotico-musical, il décide d'en profiter.

— On ne bouge pas ! ordonne-t-il à Dalbert, son homme de main (une armoire à glace engoncée dans un costume de notaire confit). Ordre aussitôt répercuté à tous les sbires prêts à intervenir.

Les manouches musiciens improvisent avec enthousiasme sur l'électro du DJ. Ils déclenchent une tourmente musicale euphorique. La réaction des invités, aiguillonnés par la fougue des trans, est dansante, enthousiaste, vociférante.

✦

De son côté, Sacha, remis à neuf, est prêt à sortir des cuisines.

En acteur, il s'octroie quelques minutes de concentration avant de monter sur scène.

La musique extérieure est si forte qu'elle fait vibrer la porte.

— Pas n'importe quelle musique ! Le style Goran Bregovic, Fanfare des mariages et des enterrements. De la dynamite émotionnelle ! Du genre à doper mon âme, fouetter mon énergie… Alors ni pute ni bouffon ! proclame Sacha à son intention, pour se donner encore plus de courage.

Et le voilà qui franchit la porte, avec l'énergie d'un type qui se sent poussé par la force du destin.

— Premier objectif : retrouver Marisol.

8

Dehors, le vacarme a cessé. Et pour cause.

Cindy, un manouche et sa lame de couteau ont maîtrisé le DJ, réduit la sono au silence.

Et Polo a d'un geste de chef d'orchestre, arrêté les musiciens.

Les yeux de Sacha effectuent un long travelling. Ils détaillent les invités, soudain perdus mais impatients de vivre la suite de cette folie. Électrisés, débraillés, souvent dénudés. Tous focalisés sur l'énergumène qui vient de stopper la musique et gesticule là-haut sur son arbre, pour trouver l'équilibre : Polo !

Sacha, lui, se félicite d'être sorti remis à neuf.

— Je reviens immaculé ou tout comme, Grand chaman des jouissances et réjouissances, je reste en smoking et serai le dernier à me mettre à poil. Une évidence.

En attendant, il continue de scanner la foule à la recherche de Marisol.

— Là-bas, discrètement à l'écart, souffle sèchement Ann So dans l'oreillette.

Vite échauffée, elle poursuit :

— Pour ce qui est de tes envies de la baiser, mon ami... Je peux facilement imaginer les desiderata de la chère ordure qui me tient encore lieu de mari. Alors, baise-la ou pas, ce n'est pas mon affaire. Mais hors de question qu'elle quitte la fête !

Va la retrouver. Empêche-la de partir. Tu te serviras d'elle pour détourner l'attention de monsieur mon mari, loin de ton seul objectif : son infâme carnet !

◆

Sacha avance aussi discrètement que possible en direction de Marisol.

Difficile, tant les invités viennent en nombre se coller à lui, avides de lui faire sentir leurs turgescences, attendant presque qu'il les bénisse. Ce qu'il ne manque pas de faire, par une caresse, un effleurement, un mot, un jeu de langue… Du travail de routine en quelque sorte.

En attendant, Marisol a disparu.

◆

D'un joli mouvement de jambe et de la pointe de sa cuissarde, Cindy a écrasé la table de mixage. Un effet Larsen assourdissant déchire l'espace. Tous les yeux se braquent sur Polo, mégaphone en main, brandi avec fierté.

— À l'ancienne ! s'amuse Cindy.

Polo laisse monter la sauce. Déguste les commentaires du public.

Happening de dingues ! … Invraisemblable ! … Colossal ! … Monumental ! Par-ci. *Sublime ! … Extravagant ! … Phénoménal !* Par-là.

Ces cons ne vont pas être déçus du voyage, pense Polo.

— Votre hôte ! assène-t-il, pointant JMdR qui lui répond d'une gesticulation faussement complice, destinée à donner le change aux invités.

— Votre hôte ! reprend Polo.

Puis ça déferle tel un tsunami.

— Votre hôte ! C'est Monsieur je ne pense qu'à ma gueule ! J'arnaque ! Je méprise ! Monsieur je suis un vautour ! Une charogne qui dépèce les entreprises à la barre du tribunal et les revend en pièces détachées. Monsieur je vire à tour de bras ! Monsieur je brise tous ceux qui s'opposent à moi ! Monsieur ordre moral et faux-cuterie ! Monsieur boîtes à partouzes trans mais je vire les pédés de mes entreprises ! Monsieur j'aime les marches militaires 3e Reich et je n'aime pas les juifs ni les manouches !

— Bravo ! Joli speech, brûlant et enflammé, coupe bruyamment JMdR.

C'est d'autant plus retentissant qu'a contrario de Polo il bénéficie d'une sono plein pot. Deux molosses survitaminés ayant libéré le DJ et expédié Cindy, à coup de pied au cul, faire un tour dans les jardins.

Polo, sa grosse voix et le mégaphone ne font plus le poids. JMdR pousse son avantage auprès de la masse bêlante des invités.

— Je vous avais promis la plus surprenante, la plus brûlante des soirées… Vous avez déjà croisé notre érotique chaman. C'est maintenant l'heure du petit piment révolutionnaire vintage ! N'est-il pas beau notre homme des cavernes, tellement vindicatif sur son arbre perché ! Et que dire de ses gitans et ses folles… Elles mettent le feu ! C'est l'heure du cirque ! De toutes les musiques ! Des extravagances du 3e sexe ! Bienvenue à elles ! Bienvenue à nos invités surprise ! Alors, musique, mes amis ! Baisez ! Jouissez ! Festoyez ! s'écrie un JMdR triomphant, en direction des invités, du DJ et des manouches.

L'hystérie collective repart de plus belle. Le DJ set et le rock manouche se mélangent, se provoquent, se répondent dans la surenchère. Les trans, les invités, toutes et tous se déchaînent.

✦

Ann So fulmine dans l'oreillette.

— Ce pourri paranoïaque les a achetés… Il a l'œil partout !

Sacha regarde en direction de l'arbre d'où Cindy aide un Polo déconfit à descendre.

— Pas ces deux-là, en tous les cas, dégaine Anne So à propos de Cindy et Polo.

Eux ne sont pas à vendre. Ni la trans ni son singe empoté ! Lui, il était régisseur et scénariste manqué. Bien sûr, au syndicat. JMdR l'a jeté à la rue. Ensuite, il l'a black-listé sur tous les projets. Broyer ce type le faisait jouir. Tu vas te mettre ce Polo dans la poche. L'histoire des invités surprises, je n'y crois pas une seconde. Tu vas miser sur la hargne de ce type et t'en servir. Il n'est pas là pour manger des petits fours ! Quant à la trans, mon cher mari utilise des trans domina dans ses clubs pour ses chantages. Il fricote avec. Adore se faire humilier. Quand il rendosse son costume de patron, il se venge. Les maltraitent. Les détruit. Elles le rendent fou. Et celle-là a sans aucun doute de bonnes raisons d'être ici avec son enragé. Utilise-la ! Et ne laisse pas filer Marisol…

Ann So continue de parler mais Sacha n'entend plus rien.

Une main surpuissante lui enserre le cou. Il suffoque. Ann So s'en rend compte. Elle se tait, de peur qu'on ne découvre leur petit système de communication.

✦

Cette poigne oppressante est celle de Dalbert, exécuteur des basses œuvres de JMdR, arrivé discrètement dans le dos de Sacha.

— Mon patron vous a confié une mission. Vous semblez la prendre à la légère. Je vous donne encore deux heures pour satisfaire à ses exigences, assène-t-il avec calme.

Son autorité menaçante ne souffre aucune contestation.

Sacha essaye de l'amadouer. Charme, humour, dérision, explications... Peine perdue. L'autre n'a rien d'un tendre, d'un comique, ni d'un communicant. Il serre encore plus fort.

— M'avez-vous compris ?

— Ouuuii... répond péniblement Sacha, au bord de l'étouffement.

— Alors cessez de jouer au con, à moins que vous ne préfériez finir en attraction léthale des festivités, genre le grand chaman de toutes les voluptés joue publiquement sa vie à la roulette russe devant un public de partouzeurs ivres et défoncés. Pour tous ces pervers blasés qui sont là ce soir, ce sera inédit et très apprécié. Je sais que vous et vos Russes adorez ça.

Cette remarque surprend Sacha comme un direct en pleine face. Il encaisse. Vacille. Vois trente-six chandelles. Surtout il revoit tourner les images d'une folle nuit :

Monsieur Henri m'avait rendu visite, accompagné de l'une de ces fréquentations maffieuses made in Russia et de ses putes. Le type ne sort jamais sans. Un immense escogriffe, ivre, exalté et sous coke. Monsieur Henri, absent de la pièce, le type a sorti son pistolet pour jouer à la roulette russe. Sans crier gare, il a tiré. Loupé. Dans la frénésie du moment qui a suivi le déclic à vide du pistolet, il a encore tiré, vers le grand lustre. La balle est partie. Elle a tout dézingué. Le salon n'était plus qu'un nuage de plâtre et de poussière, parsemé d'une multitude de débris.

Mais comment Dalbert est-il au courant ? ... Ann So ? ... Ann So, venue pour que je la baise ce soir-là, présente dans la chambre à côté, aurait balancé. J'ai du mal à y croire. Pourtant...

Un souffle paranoïaque ébranle Sacha :

— Et si elle était en train de se foutre de moi ? Si ces deux monstres avaient provisoirement fait la paix en attendant de s'entredévorer, genre pacte germano-soviétique. Tout ça pour mieux me déchiqueter ! Je crois Ann So et son cher mari capable de toutes les bassesses.

S'imaginer victime d'une manipulation orchestrée par le couple infernal tétanise Sacha, à en avoir des sueurs froides. C'est le ton factuel d'un Dalbert lui intimant de nouvelles instructions, qui le calme.

— Allez au fond du jardin. Planquez-vous et surveillez. Le fou furieux et sa drag queen s'y sont réfugiés… Marisol les cherche. Laissez-les se retrouver. Puis ce sera à vous de jouer.

Faites ce que vous savez faire. Ne cherchez pas à jouer au malin ou à vous faire oublier. Moi je ne vous oublierai pas. Top chrono ! Il vous reste moins de deux heures. Et pas une minute à perdre pour transformer Marisol en souillon dépravée devant la caméra cachée que nous vous avons indiquée. Servez-vous de la trans, mon patron en raffole.

Cet ordre plaît à Sacha malgré l'ultimatum. Il recèle deux très bonnes nouvelles. Un : Marisol n'a pas encore quitté la réception. Deux : il sait comment la retrouver.

— La partie continue !
Cette pensée lui redonne espoir et énergie.

9

Marisol a reconnu Polo à l'occasion de son numéro sur la branche.

— *Lui, on ne va pas simplement le virer, on va ruiner sa vie pour dégoûter les vocations de ses semblables !* avait déclaré JMdR à son propos, devant le conseil d'administration. J'aurais pu réagir. J'ai laissé faire. Comme pour Clara ! Lâcheté, encore une fois. Opportunisme ? ... C'étaient mes deux années de transition, je ne voulais rien compromettre avant de liquider mes parts. Surtout pas de vague malgré les provocations incessantes de JMdR.

Marisol se sent perdue, quand une soudaine fulgurance, comme elle en connut quelques-unes dans ses succès professionnels, lui fait opérer à un virage à 180 degrés :

— Plutôt que de me morfondre sur le passé, pourquoi ne pas imaginer l'improbable irruption du camarade Polo comme un signe du destin et l'occasion de réparer mes tords ?

Marisol hésite désormais à quitter la soirée. Un désir inédit pointe le bout de son nez :

— Ne pas sortir de cette nuit comme j'y suis entrée... Ça sent l'orage. Ça sent la poudre. Je connais ça. L'odeur du sang. L'envie de la bagarre. J'aime.

La suite ? ... Pour une fois, tout ne semble pas joué d'avance. Quelque chose ne tourne pas comme d'ordinaire. Une inconnue inhabituelle se serait glissée dans l'équation de JMdR. J'aime cette inconnue... Sans parler de l'autre bouffon et du comment il me perce à jour. Et ce Polo… Si cette nuit, on était lui et moi du même côté ? Une première !

Et voilà Marisol, partie arpenter le parc à la recherche de Polo.

✦

Avec Cindy, il a trouvé refuge dans un recoin délicieux perdu dans les jardins. Quelques bosquets, des statues de nus, un banc de pierre, un minuscule pavillon.

— *Je l'ai voulu dans l'esprit d'une fameuse villa de la côte amalfitaine,* frime JMdR, quand il y conduit ses invités. À l'occasion, il en profite pour faire étalage de culture. Numéro de chien savant qui le voit évoquer la villa Cimbronne de Ravello, sa sublime terrasse de l'infini au-dessus de la Méditerranée. Sa spéciale, JMdR la réserve aux vieilles rombières lascives et bien dotées. Ça commence par l'évocation du tournage de La Comtesse aux pieds nus, sur cette terrasse. Ça se termine par un – *Ah ! Ava Gardner !* qu'il lâche en lançant à sa proie du jour son regard le plus voluptueux. C'est ainsi, en couchant et parfois sans même coucher, qu'il consolide sa place dans le monde et obtient ici et là, avantages et faveurs que sa condition, a contrario de celle de sa femme, ne peut lui offrir. Secrètement, il se rêve en gigolo à la François Marie Banier avec la vieille Bettencourt. Il bande à l'idée de tout cet argent qui pourrait lui pleuvoir dessus. – Comme la manne des Hébreux dans le désert !
Joli trait pour un antisémite, auto-ironise-t-il fièrement.

Polo, lui, ne se s'est pas arrêté là pour goûter les charmes de l'endroit. Il gamberge stratégie de contre-attaque et s'en ouvre à Cindy :

— Si l'enfoiré a gagné la première manche, la partie n'est pas terminée. À nous de faire en sorte que nos petits camarades se bougent le cul plutôt que de faire la fête !

Cette petite folie du jardin dédiée à l'amour inspire à Cindy un tout autre tour de manège. Résultat : la discussion de la méthode pour écrabouiller JMdR part en vrille, entre une Cindy amoureuse frustrée à l'humeur vengeresse et un Polo feignant de ne rien voir. Querelle stoppée net par un bruit qui leur parvient d'entre les arbres : Marisol !

✦

Polo lui vole dans les plumes. Ça part comme une gifle.
— Je vous connais. Vous êtes l'associée de l'ordure !
— Et alors ! riposte Marisol qui ne s'en laisser pas compter.
Elle précise :
— Pour utiliser votre vocabulaire, il veut m'entuber et je n'ai aucune envie de me laisser faire. Ce qui fait potentiellement de nous, des alliés.
— Des alliés de mon cul ! s'excite Polo.
— Vous et l'autre pourriture êtes associés et complices ! Votre marque de fabrique : virer et détruire tout ce qui vous gêne.
Marisol ne cille pas.
— Je vais la faire simple, affirme-t-elle.
— Je me suis comportée comme une bouse. J'assume. Mais la vie continue et aujourd'hui mon associé, comme vous l'appelez, m'a mis un couteau sous la gorge. Il veut me saigner.

Marisol appuie son propos d'un long silence. Braque Polo dans les yeux. Mobilise toute la force de conviction dont elle est capable. (Ce n'est pas rien.)
— Tu m'as bien regardée ?

Elle laisse passer quelques secondes pour être sûre qu'elle le tient.

— Ai-je une tête de mouton ?

— Tu as la tête de quelqu'un qui gagne à tous les coups et qui va nous la mettre à l'envers ! Pas envie de faire alliance avec une bourge doublée d'une affairiste, contre-attaque Polo.

Il se tourne vers Cindy, en quête d'approbation. Fin de non-recevoir. Elle joue l'indifférence boudeuse. Il lui répond par une moue d'excuses, visant à se faire pardonner d'avoir ignoré ses attentes amoureuses.

— Vous avez raison, raille Marisol. Mais les bourges comme vous dites, vous ne les connaissez pas. Et les affairistes véreux à la JMdR, encore moins. Moi oui ! Et pour cause, j'en suis. Vous me l'avez vous-même jeté en pleine face. Eh bien, figurez-vous, ce petit monde de maîtres chanteurs, de tartuffes flatteurs dégoulinant de bonnes manières par devant, débordant par derrière de saloperies à déverser dans les prétoires, félicitations du jury à la clé ; je le conchie ! Eux, leur gros bras et leurs nervis !

Marisol laisse le temps à ses derniers mots d'infuser. Elle reprend :

— Je ne connais pas vos plans. Mais je connais mieux que quiconque nos ennemis communs. J'imagine que n'avez pas déboulé en fanfare avec tous vos petits camarades, pour faire la fête. Si c'est pour vous payer JMdR, je suis de votre côté.

Marisol a fait banco. Elle n'a plus rien à ajouter.

✦

Sacha n'a pas perdu une miette du face-à-face entre Marisol et Polo.

Depuis qu'il les a retrouvés, il est resté planqué derrière une reproduction de la célèbre statue grecque de Laocoon et ses fils. Niché sous le bras de Laocoon, contre le serpent qui coure le long de son corps, Sacha sourit de la petitesse de la bite du statufié. Surtout, il réfléchit, se projette :

— Surveillé par l'exécuteur des basses œuvres de Monsieur, par la vidéo de Madame. Menacé des deux côtés, si je n'exécute pas leurs plans antagonistes. Combien de temps encore vais-je pouvoir jouer double jeu ?... Sortir indemne de cet infernal imbroglio ? Zéro chance. Alors, les trahir tous les deux. Jouer mon propre jeu ? Mais lequel ? Avec quelles conséquences ? Suis-je prêt à les assumer ? Et mes chances de gagner ? Solo, impossible. Il me faut des alliés. Ces trois-là évidemment, conclut-il en désignant le trio qu'il observe secrètement depuis un moment.

Son cerveau brasse de nouvelles considérations :
— Entre Marisol et Polo qui s'écharpent, Cindy qui boude parce que Polo ne lui montre pas qu'elle le fait bander ; pas simple de nouer une alliance. Je dois la jouer fine. Valoriser ma position stratégique au milieu de cette confusion…

Son attention est brusquement accaparée par le clash entre Marisol et Polo qui vient de basculer dans une nouvelle dimension.
— Renégate ou pas à ta classe, tu restes une bourge. Barre-toi ! aboie Polo à Marisol en lui montrant les crocs.
Pour toute réponse, Marisol lui montre son cul et son tatouage.
— La bourge, voilà ce qu'elle te dit !
— Whouaou ! s'extasie Cindy, méduseé par la répartie, et surtout par ce qu'elle lit haut et fort sur la chute de reins de Marisol :
Vivre chaque jour comme si c'était le dernier. Ne pas sommeiller, ne pas faire semblant !

— La putain de phrase que je lui ai sortie en guise de toast ! a juste le temps de penser Sacha, avant de se casser la gueule.

✦

Sacha par terre, comme un con tombé du ciel au milieu du trio. Polo et Cindy le regardent, éberlués.

— Qu'est-ce que vous foutez là ! lui assène une Marisol méchante et méprisante.

En fait, totalement désarçonnée de voir son âme ainsi mise à nue. Qu'il ait vu son cul, elle s'en tape.

— L'alliance, c'est maintenant. Cette fois, ne te loupes pas ! vitupère Ann So dans l'oreillette.

— Comme si cette conne lisait dans mes pensées, enrage Sacha.

— Vous n'avez pas encore compris ! Foutez le camp ! Disparaissez de ma vue, vous et vos énigmes, vous et vos citations, vous et votre ridicule pouvoir de magicien de la queue, des mots ou de je ne sais quoi ! fulmine Marisol.

— Échoue et je te tue ! claque Ann So.

S'en suit un silence polaire, aussi bref qu'il paraît interminable, rompu brutalement par Sacha :

— Je n'ai rien à comprendre. Nous sommes tous les quatre ici en guerre contre JMdR. Alors juste un mot : alliance !

Sacha a joué son va-tout.

Nouveau silence. Tous se regardent. Le silence se prolonge, insupportable. Sacha entend la respiration tendue d'Ann So, dans l'oreillette. Polo détaille plusieurs fois Sacha de la tête aux pieds. Il ne le lâche pas des yeux, sans dire un mot. Marisol rompt le silence. S'adresse à Sacha.

— Vous ? Glaciale et détachée, comme si elle lui tirait dessus de sang-froid.

— Moi ! répond Sacha du tac au tac.

— Et alors ?

— J'ai un plan et les moyens de détruire JMdR.

Sacha se montre spontané et résolu face au scepticisme dédaigneux affiché par Marisol.

Nouveau silence.

◆

— C'est quoi ton délire, pingouin ? T'es qu'une pute ! balance Polo avec l'énergie soudaine et la violence d'un uppercut à la face de Sacha.

— Le camarade a pris ses renseignements ! esquive Sacha. Il enchaîne :

— Pour ce qui est d'être une pute, je ne vois pas que cela vous dérange ! Saillie agrémentée d'un petit regard de connivence à Cindy.

— Toi pute, moi escort, bébé ! taquine Cindy.

Se détournant de Sacha, elle gratifie Polo d'une œillade coquine appuyée.

Pour toute réponse, il lève les yeux au ciel.

Polo revient sur Sacha. Il le fixe.

Le face-à-face s'étire dans un nième silence à rallonge. D'abord tendu à l'extrême, il s'adoucit progressivement.

Polo trouve dans le regard de Sacha, une profondeur étrange à laquelle il ne s'attendait pas. Au fond de lui, Sacha est en train de rassembler toutes ses forces. Toutes celles qui n'ont pas été pourries par ses compromissions.

— J'ai un plan et les moyens de démolir JMdR.

— Vous l'avez déjà dit ! Et vous n'avez rien d'autre qu'un logiciel bon marché et un site porno en guise de cerveau, lui jette méchamment Marisol.

Il a deviné ce que je me suis gravé dans la peau. Et il le sait.

Cette pensée donne à Marisol un insupportable et détestable sentiment de vulnérabilité face à Sacha. Elle le haïrait pour cela.

— On t'écoute, lâche Polo, après être resté longtemps sans rien dire.

✦

Sacha regarde Cindy. Se tourne vers Polo.

— Madame et moi allons commencer par mettre JMdR en feu.

Cindy acquiesce.

— La starlette du cul, tu laisses Cindy en dehors, ou je te vire à coup de pompe ! coupe Polo, prêt à sauter sur Sacha et jetant un regard sombre en direction de Cindy.

Moue, réaction moqueuse et ravie de l'intéressée :

— Oh, mon chéri… On est jalouse !

Sacha, déstabilisé quelques secondes, est retombé sur ses pieds. Rien à perdre.

— Voilà ce qu'elle te dit, la starlette du cul.

Il désigne Cindy :

— Madame et moi, allons appliquer à JMdR son traitement favori : partouze bestiale et trans domina… Version furieuse du paradis à le rendre dingue. Réussite garantie, la recette m'a été livrée par son épouse en personne.

Puis s'adressant exclusivement Polo :

En pleine action, vous déboulerez avec Marisol que nous ferons semblant de lui livrer.

— Me livrer ! proteste Marisol.

— Ou faire semblant. Sachez que la vraie raison de ma présence ce soir, c'est de vous partouzer ; sextape et chantage à la clé.

Marisol reste étonnement calme.

— J'imagine que JMdR vous fait chanter aussi. Un vrai chef de chœur ! Quant à la sextape, pas très créatif ! Je ne le pensais pas stupide au point de croire que je me laisserais avoir… Par vous, en plus !

— Vous imaginez bien et mal à la fois. Sachez, cependant, qu'on m'attribue bien des qualités. Content de lui, Sacha prend le temps d'une courte pause et poursuit :

— Disons qu'à ce stade, c'est secondaire.

Marisol est partagée entre l'envie de le baffer pour son outrecuidance et un sentiment bizarre et mélangé, presque ému, devant sa sincérité. Sacha reprend la main :

— L'essentiel, c'est mettre JMdR sur le toit. Électrisé et triomphant ; la pine, le cul, le cerveau en vrac ; incapable du moindre discernement, il se prendra pour un génie. Sa vanité en redemandera et crachera publiquement toutes les saloperies qu'il a sur le cœur. Règlements de comptes à suivre garantis !

Sacha regarde Cindy. Elle acquiesce. Gratifie Polo d'un sourire câlin. Il affiche un air de mécontentement qui se veut badin mais cache mal sa jalousie boudeuse et sa colère. Cindy trouve cela charmant.

Sacha repart de plus belle.

— Nous manque l'épilogue… Profitant du chaos, je m'éclipserai, irai dérober à JMdR son immonde carnet noir et le remettrai à notre chère Anne Sophie du Grimoir, brûlante d'impatience de détenir cette bombe atomique pour anéantir son merveilleux mari.

— La grande conne à fume-cigarette ! peste Marisol, à l'évocation d'Ann So.

— Elle t'emmerde ! riposte Ann So, arrogante et désinvolte.

Seul Sacha profite dans l'oreillette de cette affectueuse réplique.

Ann So, elle, est avant tout satisfaite de la tournure des évènements.

Sacha sourit à Marisol.

— Je laisse à votre appréciation, la façon dont vous voulez jouer votre partition, nuance-t-il avec douceur.

Elle le regarde, désarmée.

✦

Un ange aurait pu passer, mais Cindy l'a attrapé au vol.

— C'est moi qui vais l'amorcer, affirme – t-elle pleine d'autorité.

— Le génie de la libido se ferait griller la politesse ! persifle Marisol en direction de Sacha, retrouvant la position de maîtrise ironique qu'elle affectionne.

Sacha esquive. Il se tourne vers Cindy.

— Si Madame a ses raisons, je lui cède volontiers la priorité érotique.

Polo s'énerve :

— Et quelles seraient ces raisons ?

Cindy les regarde tous les trois. Change de ton. Se fait plus grave.

— Je travaillais dans l'une de ses boîtes, j'y ai défendu une jeune serveuse que JMdR humiliait devant tout le monde, juste pour le plaisir. Il m'a fait jeter dehors, à poil.

J'étais masquée. Il ne connaît même pas mon visage. Aujourd'hui, je veux qu'il le découvre.

10

Cindy a posé un loup de satin noir sur son visage.
Elle s'éloigne d'un pas tranquille à travers le parc. Sacha lui emboîte le pas.

Marisol et Polo suivent, déjà loin derrière.
— Laissons nos petits génies de la luxure entre eux. Réfléchissons plutôt aux camarades manouches musiciens et trans dont nous avons besoin pour être efficaces. Et affinons notre plan de bataille, propose un Polo calmé à Marisol.
Elle acquiesce.

✦

Ann So, étendue sur son récamier, n'a pas perdu une miette de ce que la caméra et le micro fixés sur Sacha ont pu capter. Elle contemple le ciel étoilé. Satisfaite du train où vont les choses. Heureuse d'avoir entendu Sacha trahir JMdR au profit de Marisol. Mais…

— Traître un jour, traître toujours ! lui serinent quelques neurones suspicieux.
De quoi alimenter sa parano :
— Me méfier de Sacha comme de la peste, lui faire confiance ? Ai-je vraiment le choix ?... Raison supplémentaire pour rester sur mes gardes.
Un trouble indicible la travaille qu'elle n'aime vraiment pas.

— Quelque chose d'étrange circule entre lui et Marisol. Et puis il y a tous ses atermoiements… surtout ses incroyables, incompréhensibles moments d'absence. Comme si des esprits venus d'un je ne sais où qui pourrait être l'enfer, s'emparaient de lui.

Ann So éprouve une brusque montée de violence, une envie d'exploser.

Elle se retient, tente de canaliser toute son énergie haineuse, finit par la concentrer en un geste : écraser avec une application crispée le bout incandescent de sa cigarette, contre la photo de Sacha posée sur son espèce d'autel vaudou. Le tout exécuté avec une lenteur parfaitement sadique.

Elle regarde longuement la photo. Heureuse de la voir brûler, elle lui adresse un méchant sourire et maudit Sacha.

— La réalité de ce qui se passe est pourtant là sur cet écran, pas dans ta tête, lui suggèrent ses neurones les plus tempérés.

De quoi ramener Ann So à plus de pragmatisme, de calme et de maîtrise.

✦

Sur l'écran, elle voit surtout Sacha et Cindy avancer dans le parc. Elle les entend échanger sur la meilleure façon de piéger JMdR. Ainsi a-t-elle a voulu les choses. Ainsi semblent-elles se dérouler.

— So far, so good ! décrète-t-elle, exhalant la fumée d'une nouvelle cigarette en direction de l'écran. Cette incise anglophone remplit Anne Sophie du Grimoir d'un délicieux sentiment d'autosatisfaction.

Elle se laisse aller dans son récamier.

✦

Le moment de flottement passé et agréablement clos, Ann So se sent à nouveau mobilisée, en maîtrise, pleine d'énergie.

Conséquence immédiate, Sacha reçoit une violente décharge dans l'oreille.

— Je vais me répéter. Et ce sera la dernière fois. À peine JMdR dans les pattes de la trans et de ses acolytes ; que tu lui aies livré Marisol en prime ou pas, tu l'oublies. C'est main basse sur le carnet. Rien d'autre ! Je veux l'avoir en main, avant l'aube.

Sans quoi, je le redis avec autant de plaisir que de détermination. Tu n'es plus rien !

À bon entendeur, salut !

11

Une horde joyeuse s'avance dans les jardins, saluant en chemin les quelques épaves trop défoncées ou alcoolisées pour pouvoir mettre un pied devant l'autre, voire occupées à s'envoyer en l'air contre les arbres. Sinon, tous les invités ont gagné les salons dès l'annonce du début imminent de la grande partouze. Au passage, un bataillon de jolis jeunes gens engagés pour les servir et entretenir leur flamme, leur a proposé un choix pléthorique de cocktails aphrodisiaques de dernière génération.

La petite troupe progresse sous les yeux amusés des loufiats musclés de la sécurité.

Des manouches musiciens, des trans en robe du soir, hautes perchées sur leurs talons de seize. En tête de cortège, Cindy, Sacha et Marisol. Parmi les musiciens, Polo déguisé en romano à petit chapeau et grosses lunettes en verre fumé.

— C'est quoi ce cirque ! s'énerve Ann So dans l'oreillette, depuis sa tanière vaudou-high tech.

— C'est tout ce que tu voulais ! souligne Sacha, provocateur. Maîtresse Cindy et moi pour faire grimper ton cher mari au rideau ; Marisol, quelques trans de compléments, des excités libidineux vulgaires et grossiers autour, pour le laisser croire que tout se déroule conformément à son plan.

— Tournage d'une sextape dans la fameuse bibliothèque aux caméras cachées, je présume.

— Exact. Quant au tapage orchestral de notre petit ensemble : juste une cerise sur le gâteau ! Cherry on the cake pour titiller les nerfs du cerbère de ton mari. Navré de ne pas apprécier votre petit personnel, mais il y a quelque chose chez lui que je ne peux pas blairer.

— Garde ton humour bilingue pour après et fais ce que j'attends de toi, coupe sèchement Ann So.

— Parlant du loup, l'exécuteur des basses œuvres est là juste devant nous, raide comme un piquet... Et il n'a pas l'air content.

— Ferme-la ! Tu es là pour ton dard, le venin de ta langue de velours et le carnet. Ta carrière de comique tu la commenceras plus tard.

Et maintenant, soigne ta relation avec Dalbert.

✦

Dalbert se dresse sur le perron en commandeur, jambes écartées, bras croisés sur le buste. Il toise Sacha et sa fine équipe.

— Il était temps ! claque-t-il sèchement. Il pointe Cindy.

— Qu'est-ce qu'elle fout là, la créature ?

— J'aime sa présence. Ça vous dérange ? répond Marisol.

— Je ne vous savais pas perverse !

— Plus que vous ne l'imaginez. Je lui ai même demandé d'inviter quelques amies. Plus on est de folles, plus on rit – n'est-ce pas ?... Pour le reste, vu celui dont vous êtes le larbin, je vous suggère de m'épargner vos appréciations morales.

Sacha sent la nécessité d'une touche de diplomatie. Il prend Dalbert à l'écart. Lui glisse à l'oreille :

— La musique c'est ma came aphrodisiaque ; les petites pilules très peu pour moi. Quant aux quelques dégénérés, qui nous accompagnent, ils permettront de salir Marisol au-delà de toute espérance. Qu'elle se vautre jusqu'à plus soif dans le stupre et la fange. Et qu'on la filme. Telles sont bien les instructions de votre maître... Sinon, corrigez-moi.

Dalbert ne réagit pas.

Le court aparté entre Sacha et Dalbert produit son effet. Un Dalbert obséquieux se tourne vers Marisol.

— Un espace a été réservé pour vos réjouissances, au premier étage : la grande bibliothèque privée. Vous la trouverez dans un étroit couloir dérobé, en haut du grand escalier au fond des salons du rez-de-chaussée.

— Comme je l'avais prévu ! se félicite Ann So dans l'oreillette.

Dalbert tend un loup orné de dentelle noire à Marisol.

— Portez-le pour traverser les salons, il serait dommage que certains de vos clients, même très affairés, vous reconnaissent. Vous ferez ainsi la paire avec votre nouvelle amie ! ajoute-t-il, fier de sa sortie.

Et il s'efface pour laisser passer la petite bande.

✦

— Qu'est-ce qu'il te voulait, le garde-chiourme ? demande Polo à Sacha.

— Juste s'assurer que tout allait bien. Et tout va bien.

Polo reste méfiant :

— Mais encore ?

— Je lui ai vendu Marisol partouzée par ta meute de sauvages. Moi en maître de cérémonie.

— Ça lui a plu ?

— Oui, comme une danseuse du ventre incandescente, à un colin froid.

Polo et Sacha se sourient.

Avant de pénétrer dans la villa, ils se concertent une dernière fois. Ann So y va de son indispensable grain de sel :

— Mon cher époux sera à coup sûr dans sa tanière, attenante à la bibliothèque ; au milieu de ses innombrables saloperies fétichistes sado-maso nazis. Elles remplissent les tiroirs d'un spectaculaire meuble japonais. Sinon la pièce est une véritable régie : écran de contrôle, glace sans tain, direction des caméras et des micros installés secrètement dans la bibliothèque. Il doit déjà s'exciter à l'idée de ce qu'il va mâter. L'entrée se trouve dans le couloir qui mène à la bibliothèque. Très souvent, et probablement ce soir plus qu'un autre, l'un de ses chiens de garde en interdira l'accès, avec pour instruction de ne vous laisser passer qu'avec la seule Marisol.

Ces dernières informations obligent Sacha et ses acolytes à quelques minutes supplémentaires de réflexion. Ils s'asseyent par terre, sur le perron. Leur désinvolture énerve Dalbert qui retrouve vite ses réflexes de cerbère.

— Mes amis veulent juste fumer un gros pétard, avant de passer à l'action. Ça leur donne du cœur à l'ouvrage. Que voulez-vous, ces demeurés sont encore très old school, lui objecte Sacha tout sourire.

— Tant que vous faites ce qu'on attend de vous, réplique Dalbert, marmoréen.

On l'appelle au téléphone.

— Pas d'entourloupe. Vous êtes sous surveillance.

Il les gratifie d'un dernier regard méprisant, s'éloigne, disparaît.

12

Tout le rez-de-chaussée baigne dans la pénombre. De longues bougies parfumées posées sur de nombreux chandeliers produisent une lumière aux reflets mordorés. Elles donnent à l'atmosphère un parfum capiteux et poudré. Le buffet pantagruélique et ses satellites semblent avoir été dévastés par un ouragan.

— L'escalier monumental, tout droit devant, annonce Ann So, autoritaire.

Sacha et Cindy à son bras, fendent difficilement la foule des partouzards qui se pâment, s'accrochent à eux.

— Sacha ! Sacha ! soupirent-ils en chœur, au bord de l'extase. Certains ont interrompu leurs ébats, jetant vers lui un regard suppliant, pour qu'il vienne se joindre à leurs duos, trios, quatuors, quintettes…

— On n'ira pas jusqu'à l'orchestre symphonique ! raille Sacha.

Sinon, ça baise dans tous les coins, dans tous les styles, positions, configurations et répartitions ; par terre, debout, couché, à quatre pattes, sur le côté, par devant et par-derrière, sur les canapés, dans les fauteuils, contre les murs. De nombreuses trans et manouches ont pris l'invitation de JMdR au pied de la lettre. Ils ne sont pas les derniers à s'éclater et se gaver. Les beaux jeunes gens du service ne donnent pas leur part aux chiens et font preuve de beaucoup d'initiative, pour ici ou là, raviver les chaleurs déclinantes.

Sacha, lui, est à la manœuvre :

— Je réponds aux sollicitations. J'offre ma bouche, mes mains pour prodiguer quelques caresses intimes. Parfois je suis obligé de sortir ma bite que je suis parvenu par autosuggestion à rendre parfaitement raide et prête à l'emploi, option longue durée. Je touche, j'embrasse, j'effleure, pénètre, je vais, je viens. Me retire subrepticement. Glisse quelques mots suggestifs par-ci, quelques obscénités par-là. Je me donne. J'esquive.

Mon mantra : répondre à la demande, avancer et préserver mes forces pour la suite.

Et si je l'avais oublié, c'est Ann So qui me rappelle à l'ordre d'un sévère

— Calme tes ardeurs de garce ! Et cesse de te prendre pour je ne sais quel messie lubrique distribuant ses faveurs... Tu les laisses geindre à tes pieds et tu montes immédiatement à l'étage pour accomplir ta mission !

Le tout ponctué d'un menaçant :

— Ne joue pas au plus malin avec moi !

✦

— J'obtempère. J'ignore les sollicitations salaces dont je suis l'objet. Ça s'accroche autour, mais je poursuis mon chemin comme un bateau fendant les flots, bien aidé par Cindy qui rejette nos assaillants concupiscents à coups de botte, savamment dosés entre brutalité et érotisme !

Elle a du style et du savoir-faire, je le reconnais. Et Polo est bien con de ne pas céder à ses charmes et à sa tendresse.

Pas le moment de penser au devenir de mes tourtereaux contrariés. On arrive enfin aux pieds du fameux escalier.

Après avoir gravi quelques marches, je me retourne vers la terrasse pour voir si côté Marisol et Polo, tout se passe comme prévu.

Parfait. Ils patientent sous la lune, prêts à entrer dans les salons à notre signal. Autour d'eux, quelques musiciens jouent dans les jardins à peine éclairés. Ils dessinent des silhouettes magiques, évoluant avec grâce derrière les immenses baies vitrées. Je ne les entends pas. Je les vois. J'imagine leur musique.

Dans l'atmosphère ambiante de sauvagerie libidineuse, ils m'offrent un tout autre horizon, fait d'humanité et de sentiments. Ça fait du bien, le temps d'un enchantement.

On se regarde avec Cindy. On double la cadence pour monter à l'étage.

Next stop JMdR !

13

Nous sommes à l'étage.

— Tournez à gauche, dans ce minuscule couloir, indique Ann So.

Échec interdit ! réagit-elle vivement, quand elle aperçoit sur son écran, le malabar de garde posé comme une statue au milieu du couloir.

— Et tu te présentes sans Marisol ! J'espère qu'entre toi et la trans, vous lui avez préparé un joli conte et un bel os à ronger, pour qu'il vous laisse passer, claque Ann So, toute d'acidité.

Sacha ne répond pas. S'adresse à l'armoire à glace qui lui barre le chemin.

— Je suis attendu.

— Vous oui, lui répond le cerbère ; mais avec... Il hésite.

— Une autre dame... complète Sacha.

Celle-ci ne vous plaît pas ? insiste-t-il, désignant Cindy qui se met immédiatement en action.

Elle tourne autour du gros costaud, l'effleure, le colle.

— M'essayer, c'est m'adopter... Son timbre de velours épais est une caresse.

Le malabar résiste. Cindy insiste. Déploie son immense savoir-faire.

Une turgescence à l'entrecuisse du grand costaud indique à Cindy que l'armoire à glace n'est pas insensible à ses charmes. Elle redouble d'ardeur. Sans crier gare, elle lui sort son propre engin, en pleine érection. Elle s'était conditionnée pour. Le lui colle dans la main.

Instant immédiatement immortalisé par une rafale de photos que prend Sacha. Il les envoie aussitôt de son téléphone.

— Pas d'inquiétude, c'est juste pour la famille. On adore ça les photos dans la famille !

Sans donner au garde le temps de réagir, Sacha affiche un sourire de candide aux mille promesses d'emmerdements.

— Laissez-nous passer. Laissez passer nos cousins-cousines qui ne vont pas tarder. Marisol, la dame que vous attendez, sera des leurs. Et ces photos seront aussitôt effacées. Une fausse manœuvre est tellement vite arrivée sur ces téléphones…

Je vois le pauvre colosse passer par toutes les couleurs de l'arc-en-ciel, imaginant sa réputation en ruine. Il me fait de la peine dans ses petits souliers. Alors j'ajoute :

— Si vous avez besoin qu'ils vous assomment pour vous fournir un alibi, n'hésitez pas, ce sont des pros. Ensuite, vous serez discrètement et généreusement dédommagé. Un grassouillet bénéfice secondaire… Ce ne sera pas pour vous déplaire, non ?...

Le garde n'a pas vraiment le choix. Débande. Cède.

— *La voie est libre !* Message aussitôt envoyé par Sacha à Polo et Marisol en stand-by devant la villa.

✦

Nous sommes devant la porte de la tanière de JMdR. Cindy réajuste son loup de satin noir.

Je la sens impatiente, tendue comme une arbalète, comme si elle s'apprêtait à faire une grande entrée en scène. Moi j'ai l'impression de surfer sur une vague bouillonnante d'énergies et de tensions antagonistes, aussi contradictoires qu'improbables.

Ivresse mentale de la glisse, je suis entraîné par la force des évènements et les énergies des entrants successifs dans l'histoire. Maintenant, il s'agit de défoncer la porte qui est devant nous. Un nouveau barrage va céder. Jusqu'où serai-je emporté ? Sur quel rivage vais-je être jeté ? Que vais-je maîtriser ? J'ai peur et j'ai envie.

Aller simple. Il n'y aura plus de retour en arrière !

14

JMdR est installé dans son antre face à la vitre sans tain. Elle lui permet de voir tout ce qui se passe dans la bibliothèque. Il est dans une routine qu'il a pratiquée des dizaines de fois, précis, méticuleux, obsessionnel.

— D'aucuns appellent cela du chantage. Grand bien leur fasse, c'est leur morale, pas la mienne !

— Tout est prêt pour filmer vos pigeons et faire tourner les caméras dès maintenant, lui communique l'un de ses larbins, via les haut-parleurs installés dans la pièce.

— Faites tourner et dégagez ! commande JMdR. Parfaitement rassuré par un message de Dalbert, lui indiquant que tout allait bien.

La bibliothèque est vide. Le piège est prêt. Un JMdR réjoui, bande à la perspective de ce qui s'annonce.

D'ordinaire, il se contente d'envisager avec indifférence la fabrication des sextapes comme partie du processus nécessaire à la réussite de ses négociations. Mais piéger, humilier, voler Marisol a une saveur toute particulière. Un piment érotique incomparable :

— C'est une vengeance ! une revanche ! D'abord baiser Marisol et toucher le pactole. Ensuite, au tour de ma chère épouse ! Je n'aurai pas été son toutou pour rien… Des années, des heures, des nuits, à me faire petit, à me laisser marcher de dessus et traiter comme une merde, pour une place dans le monde ! Quand le clébard va sortir ses crocs, la du Grimoir finira en lambeaux !

Une malveillance revancharde envahit JMdR. L'excite. Transforme son sourire ordinaire d'autosatisfaction en rictus sadique, sa froideur de manipulateur habitué à l'exercice, en impatience de puceau en folie devant une hétaïre qui lui promet un paradis auquel jour et nuit il aspire depuis trop longtemps.

Soudain la porte de la pièce s'ouvre avec fracas.

◆

La cuissarde de vinyle noir de Cindy entre violemment la première, suivie de l'ensemble du personnage.

Effet waouh garanti. JMdR sous le choc de cette éruption volcanique. Cindy ne lui demande pas son reste. En deux temps trois mouvements, elle est debout devant lui.

La semelle de sa cuissarde broie l'entrejambe de JMdR.

— D'abord gentiment... susurre-t-elle, avant de poursuivre, superbement insolente :

— Tu ne demandes pas qui je suis !

— Tu me fais bander, le reste, je m'en fous ! assène JMdR.

Ses yeux exorbités témoignent de la violence subite d'un désir qui réduit à néant une grande partie de ses défenses paranoïaques ordinaires.

— Moi pas ! lui claque Cindy à la figure. Et elle arrache son masque en appuyant, tantôt du talon, tantôt de la pointe, sa botte vernie sur la bite et les couilles de JMdR.

Il tente d'attraper la taille de Cindy pour aller fourrer sa tête entre ses cuisses.

— Ici, c'est mon royaume ! exulte-t-il.

Elle le repousse, lui tire les cheveux, sent qu'il bande comme un âne. Elle appuie sans cesse plus fort. Il a mal, serre les dents, la défie.

— Regarde-moi ! J'avais ce masque quand tu m'as fait jeter à la rue par tes gorilles. À poil !

— Belle et salope comme toi, jetée nue dans la rue ! Tu as dû faire un triomphe.

— Ce triomphe, je te le dois. Et Cindy enfonce brutalement le talon de sa cuissarde dans la chair de JMdR, lui arrachant un cri de douleur et jouissance mêlées.

— Mais c'est qu'il aime ça, la pourriture ! Il trique toujours plus dur, détaille-t-elle avec un sourire diabolique

Elle s'assied à califourchon sur sa tête. Enfourne la tête de JMdR sous sa mini-jupe.

— Une surprise pour toi, aussi dure que la tienne. Le gros bâton de sucre d'orge que tu espérais tant. Sans l'avouer, raclure !

Elle l'étouffe entre ses cuisses, pour aussitôt le repousser violemment du pied.

— Fais amende honorable avant de déguster ! Tu vas même profiter d'un invité surprise.

À ces mots, Sacha pénètre dans la pièce.

✦

— Heureux veinard, une petite fête à trois ! Sur ces mots, Cindy, réinsère d'un brusque mouvement la tête de JMdR entre ses cuisses. Il n'a même pas eu le temps de voir entrer Sacha. Il étouffe.

Elle le laisse respirer puis lui replonge la tête au plus profond de son entre jambe, pendant qu'avec ses ongles, elle trace des sillons sanguinolents dans son cou.

— Cesse de couiner ! Profite ! Suce ! Régale-toi !

JMdR ne se fait pas prier, encouragé et stimulé de plus en plus fort par Cindy qui amplifie son étreinte et les mouvements de son bassin.

Sacha lui s'occupe à vider le contenu du magnifique meuble japonais mentionné par Ann So, de tout son fatras d'accessoires et d'accoutrements fétichistes sado-maso nazis, dont un knout aux longues lanières de cuir, à l'insigne de la SS.

◆

Le fouet maudit entre ses mains, Cindy rejette JMdR d'entre ses cuisses pour lui écraser de nouveau l'entrejambe de la pointe de sa botte.

— Rassasié ?

— Jamais ! répond JMdR. Son regard est brutal, avide.

Cindy répond par un cinglant claquement de fouet.

Le fouet déchire l'air. JMdR, redevenu maître de lui-même, réalise enfin la présence de Sacha.

Nullement gêné par la situation et les traces de bave sur son menton, il s'adresse à Sacha avec un mépris glacé.

— Qu'est-ce que vous foutez là !

JMdR regarde sa montre.

— Nous vous avions donné deux heures. Il vous reste un quart d'heure ! ... C'est dans la pièce à côté que je veux vous voir, avec Marie Solange de la Roche transformée en putain lubrique, par tous les talents qu'on vous prête. Dernier avertissement !

Faites ce que je vous dis. Vous serez largement payé. Ou vous serez anéanti.

— Vous n'aurez pas à vous donner cette peine. Dans moins d'un quart d'heure, elle sera là, réplique Sacha.

Mobilisant toute la puissance provocatrice de sa libido, il ajoute :

— Profitez d'abord de cet instant en notre compagnie. Un divin quart d'heure pour foutre comme jamais ! Puis Marisol apparaîtra. J'en ferai la putain que vous voulez.

JMdR n'a pas le temps de réagir. Cindy l'a sauvagement tiré à elle avec le fouet. Elle l'embrasse à pleine bouche. Lui agrippe les parties. JMdR explose.

◆

Ann So, les yeux rivés sur son écran, n'a pas perdu une miette du déroulement des opérations depuis que Sacha et Cindy se sont présentés devant l'armoire à glace qui leur barrait le chemin.

— La trans le rend fou, c'est parfait. Toi, souffle sur les braises… Qu'il s'embrase ! Et main basse sur le carnet. Rien d'autre. Sinon c'est toi qui vas brûler ! peste Ann So dans l'oreillette.

Cette menace ajoutée à la vision du bazar nazi étalé sur le sol fait l'effet d'une bombe dans le cerveau de Sacha, pulvérisant une porte par laquelle déferle un torrent de mots qui le plongent dans un assourdissant vacarme intérieur.

— Feu ! Feu à cet abruti ! Feu à son bordel nazi ! Feu maudit des fours qui réduisirent à néant ma famille et mes racines ! Feu pour purifier les plaies du passé ! Feu impur, feu salace, pour l'anéantir aujourd'hui ! Servir ce qui est juste ! Feu du désir. Feu meurtrier des pogroms ! Feu des assassins ! Nina, Marisol… Ne pas perdre à tous les coups. « Au travail, ma salope, tu auras ta place au bal ou en enfer », promet Madame. « Détruis Marisol ou je t'anéantis », exige Monsieur… Les deux mâchoires du diable !

Aucun de ces mots n'est en vérité sorti de la bouche de Sacha, submergé par le foutoir torrentiel produit par son cerveau.

◆

Cindy trouve soudain à Sacha un air hagard, quasi hébété. Elle s'en amuse.

— Toi, Grand Manitou de la libido, tout retourné de me voir en action ; je rêve !

Elle reste surtout concentrée sur JMdR. L'envoie valdinguer d'un grand coup de pied, ponctué d'un violent claquement de fouet et d'une moue superbement vicieuse.

JMdR empoigne le cuir, attire violemment Cindy à lui, l'embrasse avec la férocité d'un fauve déchiquetant la chair de sa proie.

Elle le laisse faire, le repousse, se cambre face à lui, le provoque, matador face au toro. Et le jeu continue comme une danse.

✦

Sacha, revenu à la réalité de l'instant ou presque, se met à danser autour d'eux.

Il est hanté, possédé. Sa voix a changé. Elle lui échappe. Soudain incroyablement grave et profonde, comme si ce n'était plus la sienne :

— *Dance me to your beauty, with a burning violin…* Il chante les paroles de Léonard Cohen, en français, en anglais. Il chante l'amour, la beauté et les violons en feu.

Cindy maltraite JMdR qui en redemande.

Sacha tourne sur lui-même. Il tourne autour de JMdR, de Cindy. Il chante toujours. Il psalmodie.

— *… Danse-moi/Dance me… Vers ta beauté/To your beauty… To the end of love / Dance me/Danse-moi… vers la fin de l'amour… Dance me through the panic / à travers la panique… jusqu'à ce que je sois à l'abri… Dance me… With a burning violin… Violon en feu… Violons de la Shoa !…* grondent ses entrailles. Sacha entend cette voix. Il la repousse, tente de l'ignorer, finit par l'accepter.

Il s'abandonne. S'enivre de tourner, de danser.

Il prend JMdR dans ses bras, l'embrasse à pleine bouche. Féroce. Animal.

JMdR s'enflamme. Il ne s'appartient plus. Sacha lui parle. Les mots sortent de sa bouche, étirés, susurrés, sifflés dans un long murmure vénéneux.

— Tu es à Cindy. Laisse-toi porter. Elle t'emmène, là où tu n'es jamais allé... jusqu'au bout de l'enfer. À t'en faire un paradis !

Le fouet déchire l'air.
Sacha saisit la mâchoire de JMdR. JMdR saisit celle de Sacha.
Ils se dévorent. Et ils ne se lâchent plus des yeux.

◆

— Que dois-je faire de Marisol ! commande Sacha à JMdR. Dis-le-moi encore une fois !
— Obéis ! ajoute Cindy. Répète ce qu'il doit faire de Marisol ! Fais-toi jouir à le redire ! Elle gifle JMdR. Se colle à lui. Attache ses mains.
— Oui ! glapit JMdR
— Oui, Maîtresse ! ordonne Cindy en l'étranglant avec son fouet.
JMdR gémit. Opine du chef en signe d'assentiment.
Cindy insatisfaite. Elle serre plus fort.
— On t'écoute !
— Oui Maîtresse, bafouille JMdR.
— Articule... misérable excrément ! Que dis-tu ?
— Oui Maîtresse ! parvient-il à redire plus distinctement.
— Eh bien voilà ! Il suffit de demander poliment et parler distinctement.
Cindy relâche son étreinte, après avoir pris soin de ligoter solidement JMdR avec la longue lanière du knout.

— Lâche-toi maintenant ! Parle-nous de Marisol !

JMdR s'exécute, enfiévré, incantatoire.

— Je veux entendre Marisol brailler des insanités, supplier qu'on la défonce, qu'on l'enfile, qu'on la baise par tous les trous. Je veux qu'elle se transforme en salope lascive, harpie hystérique, nymphomane vulgaire, grossière. Je veux voir cette grande bourgeoise devenir une souillon paillarde ! L'entendre déballer ses insultes sur tous ces imbéciles qui l'admirent !

Et qu'on la filme !

Des applaudissements retentissent dans les haut-parleurs.

15

— Superbe ! s'exclame une Marisol magnifique et glaciale, qui continue d'applaudir. Elle congèle sur le champ les ardeurs de JMdR. (Sacha avait discrètement pris soin de maintenir le micro ouvert.)

JMdR, parfaitement saucissonné par Cindy, n'a pas le temps de crier à l'aide qu'elle lui a collé son string dans la bouche, agrémenté d'un piquant – *régale-toi, ferme-la et profite. La représentation ne fait que commencer !*

✦

Des mains empoignent et emportent la glace sans tain. Elles laissent un trou béant à la place de l'écran de verre, derrière lequel JMdR jouissait en voyeur de ses manigances de maître chanteur. La tanière secrète de JMdR n'est plus qu'une niche, une plaie ouverte dans le mur tout en boiseries acajou de sa bibliothèque.

Cette pièce est à l'image de JMdR. Copie boursouflée et prétentieuse du style aristocratique anglais, remplie de faux livres reliés. Seraient-ils vrais que cela n'y changerait rien, notre homme ne lit pas. Seuls comptent les larges sofas orientalisants, les miroirs et les caméras cachées, pour le tournage des sextapes.

✦

Polo, débarrassé de son accoutrement de manouche de carnaval, a retrouvé sa mise préférée de bolchevique à l'ancienne. Il dirige la manœuvre.

— Parfait, les gars ! lance-t-il aux deux lascars à petits chapeaux pied-de-poule qui emportent le grand miroir sans tain.

L'antre de JMdR est devenu la scène d'un petit théâtre porno enclavé dans le mur de la bibliothèque. Cindy y écrase sous sa botte vernie, le corps de JMdR.

Éperonné par les insultes et les crachats de sa dominatrice. Entravé au milieu de son foutoir sado-maso nazi. Il se contorsionne comme un ver de terre épileptique, tentant vainement de recracher le string qu'elle lui a fourré dans la bouche.

Le spectacle divertit follement les quelques trans et manouches autour de Polo. Ils applaudissent.

Polo feint l'indifférence. Mais il enrage de voir Cindy à l'œuvre, même si elle se contente d'appliquer à la lettre le plan auquel il a lui-même consenti.

◆

Derrière son loup de dentelle noire, Marisol ne peut détacher ses yeux de Sacha. Il semble s'être totalement déconnecté de ce qui arrive. Marisol le voit. Elle le scanne :

— La sex star de la soirée, soudain aux abonnés absents !? Un pied ici, un pied dans un autre monde… Quel monde ? … Ce type… qui est-il vraiment ? Un Éros de pacotille au milieu d'un zoo peuplé de marionnettes obscènes ? Un détraqué ? Un fou visionnaire ? Ou le fantôme d'un autre… Un être dissimulé, caché, perdu ?...

Telles sont les pensées d'une Marisol troublée au moment où les yeux de Sacha se posent sur elle.

Leurs regards se croisent. Marisol perçoit de fugitives traces de fierté sur le visage de Sacha. Plus inattendu, un voile fugace de douceur, de bonté même.

Le mot amour la traverse comme une étoile filante. À peine surgi, aussitôt réfuté. Vite remplacé par une analyse de la situation qui restaure son sentiment de maîtrise :

Si ce type trahit JMdR pour moi qu'il ne connaît pas, qu'attend-il en retour ?

✦

Sacha lui est rivé en mode hypnotique aux yeux de Marisol, jusqu'à se perdre dans la brume épaisse d'un nouveau rêve :

— Des manouches dansent autour d'elle. Ils glissent comme des derviches tourneurs.

Ils me transportent dans les plis de velours sombres de la musique de Leonard Cohen… *Dance me to the end of love… Dance me … with a burning violin…* Fin de l'amour… Violon en feu…

Je vois plus que le visage de Nina. Les grands yeux tristes de Nina, incapables de pleurer, alors que je la quitte. Et moi, terré des jours durant, avec pour seule compagnie la voix de Leonard Cohen. Onguent apaisant sur les brûlures de mon âme. Elle ne fit pas disparaître ma tristesse. Elle la rendit juste belle. Elle ne fit pas disparaître ma cruauté. Elle me la rendit plus acceptable.

Les mots s'échappent de la bouche de Sacha…
— *Dance me to the end of love… Dance me… With a burning violin.* Il chante. Il parle. Seul, tout seul. Il marmonne :

— Kaddish... Prière des morts... violons en feu... Âmes des violons de la Shoa... In memoriam des martyrs de l'holocauste... Et pour cet amour que je n'ai su ni donner ni recevoir.

Apparaît Monsieur Henri, assis sur un trapèze suspendu à un cintre invisible.

Sacha lui parle :

— Te voilà, mon elfe du troisième âge à l'inimitable accent russe, mon père de cœur. Tu serais perché dans la hauteur infinie d'une grotte immense, une cathédrale, une église de campagne noyée dans la brume d'une sinistre plaine polonaise, infestée par les nazis...

Les musiciens glissent, tournent. Libres. Aériens. Ils jouent d'instruments invisibles... Burning violins... Violons qui brûlent... Cordes cristallines...

La voix chaude et bienveillante de M. Henri me répond.

— Je sais toutes les heures que tu as passées, perdu dans les volutes de fumée et les chansons de Leonard Cohen. Sa profondeur soyeuse teintée d'amertume apaisait ton désespoir. Parce que dans le noir, il faisait scintiller la lumière, la vie, l'amour, l'humour. C'était l'amour que tu n'arrivais pas à exprimer, l'amour gâché de Nina. C'était le père aimant, tendre, compassionnel, que tu n'as pas eu. Dont tu avais jusqu'à ce qu'il s'évapore dans la nature, espéré qu'il t'aimerait comme un père.

C'est fini. Laisse le rêve s'estomper. Embrasse le monde. Regarde. Regarde autour de toi. Regarde devant toi.

Sacha s'entend chanter les paroles de Cohen. Il prie. Le son résonne. Se déploie en lui et autour de lui. C'est sa voix et une voix étrangère à la fois.

— *Touch me with your naked hand or touch me with your glove / Touche-moi de ta main nue. Touche-moi de ton gant... Dance me to*

the panic / Danse-moi dans la panique… Till I'm gathered safely in /
Jusqu'à ce que je sois à l'abri…

✦

Sacha n'a en réalité, pas esquissé le moindre mouvement ni dit le moindre mot.

Rien depuis la déflagration produite par l'irruption de Marisol dans les haut-parleurs, et le saccage de la machinerie perverse de JMdR par Polo et sa fine équipe.

Il regarde dans la bibliothèque en contrebas. Des silhouettes immobiles de trans et de manouches entourent Polo et Marisol. Tout semble pétrifié. Comme si aucun mouvement ne s'était jamais produit.

— *Habitants de Sodome transformés en statues de sel ! Colère d'un Dieu vengeur et de mauvaise humeur !* Cette raillerie, Sacha la garde au fond de lui. Il ne peut plus détacher ses yeux de ceux de Marisol.

— Derrière son écran de dentelle noire, je veux percer le mystère de leurs reflets de diamant bleu. Quelle vie, derrière ce sublime et faussement inaltérable regard de pierre ?

Soudain, un geste précis et sans affectation de Marisol coupe court à ses divagations. Elle vient de retirer son masque. Sacha la dévisage.

Le regard de Marisol, sa physionomie dénuée d'hostilité, dissipe l'épaisse brume chaotique dans laquelle il s'était égaré.

Sacha voudrait y lire une promesse.

Pas le temps. Une furieuse explosion se produit dans son oreille.

16

— Le carnet ! Ce tas de fumier, je le veux maintenant ! beugle Ann So dans l'oreillette.

Je vais même pouvoir te dire où il se trouve.

Ce rappel féroce à l'évidence de sa situation glisse sur Sacha, trop occupé à se débattre dans les flots tumultueux de ses spéculations :

— À mes pieds, JMDR. Je viens de le trahir au profit de Marisol. Dans mon oreille, Ann So vocifère ses ordres à m'en crever le tympan. À perpétuité, les deux mâchoires du même putain de crocodile, prêt à me dépecer si je ne réalise pas ses desseins contradictoires ! Cindy, elle, n'a d'yeux que pour Polo, ses manouches, ses copines trans. Tout à leur joie de ce premier succès qu'elles fêtent comme une équipe de foot venant de marquer un but. Moi je ne vois que Marisol, ses yeux qui ne m'ont pas quitté. Lien magnétique ? Que dit son regard saphir ? Pourquoi si dur ? Et si c'était moi qui voyais tout sous l'angle de la lutte, de la perversion, de la guerre, de l'intérêt… Tout s'achète et tout se vend ! Et si au contraire, elle me témoignait de la gratitude ? Une connivence ? Elle et moi alliés en humanité contre les époux barbares dans leur emballage glamour haute couture. Accepter son côté – business oblige. Com, frime, réseaux… la nouvelle Sainte Trinité ! Le 360 du fric et de la modernité ! C'est son monde… Et le mien alors ? Est-il mieux ? Qui suis-je ? Une roulure mondaine, un mendiant graveleux en quête de quelques strapontins minables. Chaman du cul, plutôt chaman de rien du tout ! Juste un naïf, un enfant pétri de désir, au milieu d'un tas de pervers, faux culs, puissants, impuissants et suffisants. Et aux pieds de Cindy : JMdR ! Le pire d'entre eux, réduit à l'état de serpillière. Bouffé à l'acide par son envie de me faire la peau et le dégoût de s'être fait avoir. Et Cindy, fleur bleue, qui regarde Polo son héros, comme une midinette. Attendrissant.

✦

Sacha a définitivement choisi son camp.

Il saute sur le magnifique parquet de la bibliothèque, recouvert de tapis hors de prix, signés d'artistes branchés. Y rejoint Polo, ses manouches, les trans et Marisol qui détourne ses yeux au fur et à mesure qu'il s'approche. Sacha fait mine de ne pas s'en rendre compte.

Cindy, elle, est descendue embrasser ses copines, abandonnant JMdR à son sort de gros tas ficelé par terre. Elle aimerait enlacer Polo. L'embrasser aussi, là, devant tout le monde.

L'enfoiré m'a esquivé, pense-t-elle.

Elle l'observe en grande conversation avec ses manouches sur la suite des opérations.

Aurait-il un plan qu'il se garde de partager avec moi ?

L'enfoiré ! pense-t-elle une deuxième fois.

✦

Profitant de l'inattention générale, JMdR est parvenu à force de discrètes contorsions à se racler la bouche avec l'épaule et le haut du bras. La rugosité de la lanière du knout qui l'emprisonne finit par accrocher le string de Cindy. Ses lèvres sont en sang, mais il réussit à recracher ce bâillon, vestige de ses chaleurs révolues.

L'heure n'est plus à la libido mais à la guerre.

— Dalbert ! tonne JMdR.

— Le carnet et rien d'autre, sinon je te crève ! Hurlement d'Ann So qui, délicieuse bizarrerie de la technologie, a été entendu de tous, après un épouvantable effet Larsen.

— La du Grimoir perd ses nerfs ! moque Marisol.

Sacha savoure.

Cindy n'a pas eu le temps de réenfourner son string dans la bouche de JMdR que Dalbert est déjà là. Il l'envoie valdinguer pour le compte.

Il tient une arme à la main. Tous se figent.

— Qu'est-ce que vous foutiez ? C'est comme ça que tout se passe bien ! lui cingle JMdR à la figure.

Dalbert baisse la tête, s'affaire à libérer les liens de son patron.

— Je le ferai moi-même. Vous, mettez la main sur le carnet avant cette crevure ! ajoute JMdR, désignant Sacha d'un geste vengeur.

— Ce sera dans la tourelle… Le long escalier… Tout droit… En haut, mon bureau privé… Le coffre… vous savez où. La clé… là dans ma poche. Un carnet de cuir noir avec mes initiales en lettres d'or. Vite ! Ensuite vous me débarrassez de ce guignol ! Marisol, la trans, les autres charlots, on s'en fout. Et rangez votre flingue, vous ferez ça plus tard. Le carnet d'abord !

✦

Même dans les vapes, Cindy profite de leur échange pour ramper discrètement vers JMdR. Polo la regarde inquiet, d'un air mêlant reproche et approbation. Cindy lui répond d'un regard espiègle et polisson.

Ne se sachant pas entendue par tout le monde, Ann So a poursuivi à l'intention du seul Sacha, pense-t-elle.

— Tu suis le couloir à la sortie de la bibliothèque… Quelques méandres… Sur le côté, un escalier étroit et raide, presque une échelle. Ce con sait que j'ai le vertige. Il voulait me dissuader d'aller voir là-haut. Ensuite, ce sera sous les combles aménagés. Je te guiderai jusqu'à sa pièce. Là où il se branle en écrivant les saloperies qu'il enferme dans son petit coffre capitonné. Même sans la clé, emporte le coffre. Et vire. Sinon, je te crève ! Dernier avertissement.

Et crois-moi, le faire me procurera un immense plaisir.

— Au rayon ordures et détritus, la du Grimoir et son mari ! ponctue Marisol.

Sacha se délecte. Marisol lui adresse un sourire, mêlé d'inquiétude.

— Pour plus tard la danse des sept voiles ! lance Polo, qui enchaîne sans perdre de temps à l'attention de Sacha.

— File ! Nous, on va barrer la route à son porte-flingue.

Sacha sort en trombe de la bibliothèque. Objectif : le carnet.

✦

Dalbert saute sur le parquet de la bibliothèque, à la poursuite de Sacha. Aussitôt accueilli par une pluie de livres et objets divers.

Polo et les siens s'en donnent à cœur joie. C'est main basse sur tous les rayons. Vrais et faux volumes luxueusement reliés, lampes, bibelots, breloques masos néonazies. Ça vole de partout. Dalbert avance sous cette mitraille baroque et un torrent d'insultes saugrenues prononcées dans toutes les langues de la terre. Il trébuche, tombe, se relève. Évite le plus souvent les projectiles qui arrivent dans tous les sens. S'en prend quelques-uns sans trop de dommage, sinon qu'il en perd son flingue, aussitôt récupéré par l'un des manouches.

— Pas chargé ! braille-t-il d'un air réjoui, après l'avoir débarrassé de ses balles.

Polo attend Dalbert. Il le provoque à la manière d'un catcheur ringard qui fait le show pour ridiculiser son adversaire.

JMdR n'est pas en reste. La bave aux lèvres, la fureur dans les yeux, il les abreuve de menaces et d'insultes. Travaillant frénétiquement à défaire ses liens, il ne voit pas surgir Cindy.

Elle a discrètement ôté l'une de ses cuissardes. Lui en assène un coup si violent qu'il n'a pas le temps de réagir. À moitié assommé, le revoilà avec le string de Cindy, plein la bouche.

Même chancelante, elle s'applique à le religoter. Puis elle le momifie à l'aide d'un large bandeau d'adhésif trouvé dans l'un des tiroirs de la pièce.

De loin, Polo apprécie en connaisseur. Il lance à une Cindy aux anges, un sifflement admiratif appuyé d'un geste du pouce.

✦

Dalbert parvient à la hauteur de Polo qui lui sert son numéro de cabot provocateur.

Dalbert enrage. Polo prend des coups. En évite d'autres. Surtout, il gagne du temps pour Sacha.

Un peu cabossé par sa traversée de la pièce sous les projectiles, Dalbert a commencé mollement. L'énergie lui revient en cognant. En moins de trois minutes, il envoie Polo au tapis.

— Parfait dentiste ! provoque Polo, exhibant à Dalbert les deux dents racines comprises, qu'il vient de cracher dans sa main, avant de s'étaler pour le compte.

— À tous ! Choppez moi le petit roi du cul et mettez-le au frais. Il est dans les combles, cabinet privé de Monsieur. Tout le reste on s'en fout ! communique Dalbert à ses malabars, via le micro qu'il a sous sa manche. Puis il quitte la pièce.

✦

Dalbert sorti, Cindy se précipite vers Polo.

Elle le prend dans ses bras. Il se remet de son KO, affiche un sourire désolé.

— T'es toujours aussi beau, mon Polo ! gazouille-t-elle.

Heureuse de pouvoir répondre à l'inquiétude qu'elle lit sur la tronche de son édenté, elle ajoute :

— Pour Dalbert et ses sbires, no souci ! Les copines ont arrangé l'affaire. J'avais fait passer le message aux filles : – affichez votre sourire le plus prometteur, claquez quelques bises, prodiguez quelques caresses bien senties et allez offrir des boissons fraîches à tous les gros bras en tenu de larbins. Elles ont mis de jolies petites pilules dedans, bien écrasées, bien mélangées. Une heure plus tard, les gros nounours étaient tout amour. Désormais inoffensifs les malabars !

— Waouh ! réagit Polo, avec un léger sifflement dû à ses deux dents manquantes.

Rasséréné, revenu à lui, il se lève.

— Sacha va avoir besoin de moi, ajoute-t-il, avant de passer la porte.

Cindy regarde Marisol.

— Tu surveilles JMdR. Je veille sur Polo.

Elle emboîte le pas à son héros, suivi par la fine équipe des trans et manouches présents dans la bibliothèque.

17

Marisol se retrouve seule avec JMdR, ficelé et bâillonné.

Elle s'approche. Il est à moitié nu au milieu de son étalage fétichiste sado-nazi dispersé au sol. Elle lui appuie un pied sur la poitrine. Le regarde longuement. Il la fixe, cramoisi de haine. Le string de Cindy qui lui remplit la bouche l'empêche de parler. Vu la quantité astronomique de bandes adhésives qui fait le tour de sa tête, aucune chance de le recracher.

Marisol l'attrape par le menton, lui arrache string et bande adhésive.

— Tu as quelque chose à me dire ? Dis-le-moi en face, c'est le moment.

L'expression de JMdR se transforme aussitôt. Après le feu, la glace. Marisol toise JMdR. Il l'ignore. Comme si le regard de Marisol lui glissait dessus.

Tout se fige dans le silence.

✦

Trompeuse apparence. Une avalanche assourdissante de mots et d'images percutent le cerveau de Marisol et la plongent dans un cauchemar éveillé :

— Je tiens JMdR entre mes mains… Lividité cadavérique et face blême de vampire. Impassible. Aucun sentiment humain apparent. Un alien ! Comme ces dignitaires nazis dans leurs uniformes noirs à têtes de mort. Les amis de la famille ! Milice, collabos, SS and co… Sieg Heil, grand-papa ! Tu as débuté préfet de Vichy. Tu as fini haut gradé de la milice. Maintenant, tu trônes fièrement en uniforme de nazi franchouillard, chasseur de juifs, dans un cadre argenté sur le bureau de papa ! Lui a pris ta suite : panoplie de bons mots racistes et antisémites pour faire les délices de ses hôtes, combats, manif pour tous et amitiés oligarchiques nauséabondes. Lui dont les traits, quand il a jeté maman en enfer, affichaient cette même expression maléfique que j'ai vue trop souvent sur ta gueule au sourire sardonique de salaud propre sur lui.

Marisol pense adresser ses mots à JMdR. Mais elle est là, mutique, juste en train de lui secouer la tête.

JMdR lui oppose un regard plein de mépris et de feinte indifférence.

— C'est ça ! Ferme-la ! s'écrie-t-elle, excédée, comme détrempée par l'aversion glacée qui circule entre eux.

La morgue de JMdR agit sur Marisol comme un shoot d'adrénaline. Lui redonne goût à la parole et à l'offensive.

— Sérieusement tu pensais que j'allais avoir peur de tes sordides manœuvres de maître chanteur et de ta bande de charognards ! Pitoyables, vulgaires, prétentieux, mesquins ! Vous vous pensez propriétaires du monde, vous en êtes ses trous du cul ! Et à propos de cul, jamais tu ne filmeras le mien !

Marisol a bien reposé les pieds sur terre. Elle ne lâche plus l'affaire.

— Parce que tu m'as vue faible et je l'ai été, lâche aussi quand tu as viré Clara ; tu m'as cru faible. Pauvre imbécile ! Autant dépourvu d'intelligence que d'humanité ! Avec ta suffisance bouffie, pour pitoyable et pathétique estime de soi ; finalement, tu n'es pas grand-chose.

Sur quoi, elle lui refourre le string de Cindy dans la bouche, évitant de justesse qu'il ne la morde. Comme si des chaînes s'étaient soudain rompues, elle se détend. S'installe confortablement dans un fauteuil.

Pose élégamment ses escarpins à hauts talons aiguilles sur lui, comme sur un repose-pieds.

Marisol agrémente ce mouvement, d'un soupir de bien-être et d'un laisser-aller général de son corps.

◆

Marisol ferme les yeux, voit le visage de Sacha, pense à ce sourire pénétrant, porté par une désinvolture exaspérante, sur laquelle cependant passent comme des ombres, les nuages d'une étrange et lointaine gravité.

— Et si son affichage arrogant, son obscénité prétentieuse, ses citations et ses effets de manche n'étaient qu'un voile protégeant un mystère plus subtil, se demande-t-elle. Et si derrière ce sourire conquérant, il y avait autre chose de fragile ?

Marisol revoit les sourires de Sacha. Mobilisant toutes les forces de son esprit, elle arrête le défilement du souvenir, le repasse au ralenti. Le temps d'un infime soupir, elle voit glisser sur les traits de Sacha l'expression d'une douceur désarmée, vulnérable.

— Et si c'était de l'amour ? Cette fois-ci, elle ne congédie plus ce mot.

De l'amour... Sous une forme parfaitement détournée... Je suis bien placée pour savoir ce que cela veut dire... De l'amour blessé, désiré, exigé, refoulé, déformé, tordu.

◆

Un grondement assourdissant interrompt le monologue intérieur de Marisol.

Le plafond de la bibliothèque s'est mis à trembler. Il témoigne de ce qui se déroule à l'étage au-dessus.

Marisol se lève. Quitte la pièce, sans un regard pour JMdR.

18

Sacha émerge sous les combles.

Pas le temps de poser son deuxième pied dans le petit couloir censé mener au bureau secret de JMdR. La main de Dalbert lui agrippe violemment la cheville. Lui fait redescendre en catastrophe une bonne partie de l'escalier.

Profitant de son agilité de danseur, Sacha reprend pied dans le couloir. Dalbert le plaque au sol.

Polo refait surface. Avec Sacha, ils s'y mettent à deux. Peine perdue. Dalbert les étale pour un nouveau petit décompte. Pousse aussitôt une énorme gueulante dans son micro, pour que ses sbires rappliquent en quatrième vitesse.

— Oublie-les, tes molosses ! Ma Cindy les a transformés en gros nounours plein d'amour, sourit secrètement Polo qui, malgré son état, profite des quelques secondes d'inattention de Dalbert pour se jeter sur lui et libérer Sacha.

— Allez, le roi du stupre, c'est le moment de prouver que t'es autre chose qu'une starlette à la bite de platine dans ton calbut ! lance-t-il.

Le tout agrémenté d'un coup de pied au derrière et d'un – *Taille-toi !* sans appel.

Polo est heureux de sa sortie, inspirée du langage prolo, argot, tontons flingueurs et clope au bec, d'un oncle militant qu'il a tant aimé et pris comme modèle. Pas le temps de déguster ce souvenir. Proust et sa madeleine repasseront. Dalbert l'a empoigné. Ils dégringolent la pente raide du petit escalier, au corps à corps.

Sacha, propulsé dans le couloir par le coup de pied au cul de Polo, avance titubant. Endolori, mais vaillant et déterminé.

✦

Debout devant son écran, Ann So, la femme chic et sûre d'elle-même du début de soirée a laissé place à une harpie hirsute. Maquillage défait. Élégant déshabillé froissé d'avoir été tordu par ses mains stressées ou exaspérées ; sali par les traînées de cendres d'innombrables cigarettes entamées, à peine fumées et aussitôt écrasées dans un cendrier qui déborde.

Son élégant poste de contrôle, sensuel, high tech et approximativement vaudou, ressemble désormais au refuge mal entretenu d'une riche junkie à réactions, qui aurait remplacé l'héroïne par le crack et les amphétamines.

Son vocabulaire se limite dorénavant à un mot hurlé en boucle :

— Le carnet ! Le carnet !

Devant la succession des images chaotiques de l'escalier, elle a eu beau vociférer. Sacha était incapable d'aligner le moindre mot. Maintenant les images de son avancée vacillante dans l'étroit couloir sous les combles, même si elles ont de quoi coller le mal de mer à qui les regarde, donnent à Ann So le sentiment de pouvoir enfin reprendre la direction des opérations. Elle touche au but ! Martèle de nouvelles instructions :

— Tout droit ! À gauche ! À droite ! Là-bas, la petite porte !...

✦

Sacha se comporte en objet téléguidé. Mais dans sa tête, ça disjoncte :

— Je vais la lui trouver, sa saleté de carnet. Et puis ?... Et puis je n'en sais rien. Et puis, j'aurai la main... Et puis, c'est moi qui mènerai la danse ! Moi le héros ! Le clown en chef de tout ce cirque ! La bête la plus lubrique de la partouze la plus lubrique de la Côte ! Le bouffon shakespearien ! Le demi-dieu ! Éros de circonstance ! Rock'n'roll héros à l'ancienne. Cette pochette retrouvée dans les affaires abandonnée par mon père avant qu'il ne se barre, les Doors, Jim Morrison, mi-ange, mi-démon... Je vais devenir le roi temporaire d'une planète en folie, avec pour sceptre l'immonde carnet ! Une bombe sale que je vais leur jeter à la gueule.

Elle va pulvériser JMdR. Les projeter les uns contre les autres ! Ce sera la curée... Et après... Comment sortir entier de cette mascarade ?...

Les cellules grises de Sacha dansent dans son cerveau comme les molécules d'eau dans un four à micro-ondes. Les mots, les images, explosent, se télescopent :

— Je suis un cyborg programmé pour m'emparer de cette saloperie de carnet ! J'obéis. Et puis ?...

Sacha est devenu un automate court-circuité par des éclairs de conscience.

✦

Pendant ce temps, dans l'escalier, Dalbert et Polo continuent de se battre comme des chiffonniers. Cindy se jette dans leur furieux corps à corps, pieds nus, ses deux cuissardes brandies comme des armes. Plutôt maladroite malgré toute sa fougue et sa bonne volonté, elle tape sur Dalbert mais c'est Polo qui prend.

Pas le temps de réparer les dégâts ; une ruade l'envoie valser. Ses nombreuses années en tutu, qui lui avait valu les quolibets de ses petits camarades d'alors, auxquels elle a fait un immense bras d'honneur le jour où elle a entamé sa transformation, lui sauvent la mise. Elles lui permettent d'atterrir en bas des marches, sans trop de casse, malgré son roulé-boulé désarticulé.

Après de longues secondes sur le cul, à regarder danser les étoiles, Cindy revient à elle. Se garde de le montrer, pour ne pas attirer l'attention de Dalbert qu'elle observe d'un œil mi-clos, en train d'écraser Polo.

— De toi, on n'a rien à faire, lâche Dalbert à Polo.

Regard méprisant et sourire singés sur ceux de son maître, il sort de sa poche une paire de menottes. Lui enfourne un mouchoir dans la bouche.

— Pour calmer tes ardeurs ! Que tu la fermes, et reste bien sage en attendant ton petit camarade. Il repassera nécessairement par ici.

Polo entraperçoit Cindy. Pas encore tout à fait prête à replonger dans la bagarre. Une tactique s'impose. Gagner du temps. Détourner et mobiliser l'attention de la brute. Dalbert n'a pas fini de le museler que Polo se met à déblatérer – ça, il sait faire.

— Quid de votre condition ? Réalisez-vous sculement que vous êtes le laquais d'une enflure ? Voué à la poubelle, à la cuvette des chiottes ! Il tirera la chasse et vous disparaîtrez. Vous comme moi, vous et moi, nous sommes quoi ? Des larbins, camarade ! Employés, valets, soubrettes, serviteurs, esclaves, putes ou gladiateurs !... Aujourd'hui, il vous prend, demain il vous jette... Kleenex ou papier cul ?

— Tu vas la fermer ! explose Dalbert.

Il saisit le cou de Polo, l'étrangle de sa main surpuissante. Le fixe droit dans les yeux.

La figure de Polo s'empourpre. Dalbert, trop occupé à profiter du spectacle, ne voit pas venir Cindy. Surtout, les deux cuissardes qui s'abattent de concert sur son crâne et l'envoient dans le cirage.

✦

D'une main experte, Cindy passe les menottes à Dalbert. Le ligote.

— Ton patron déguste mon string, à toi le bonheur de mon soutien-gorge ! Elle le lui fourre dans la bouche.

— Les menottes, elles, sont fournies par la maison, lui glisse-t-elle tout sourire.

Elle prend soin de lier les pieds de Dalbert avec sa propre veste.

— Elle était moche. Et tu dois avoir un peu chaud, précise-t-elle, ravie.

Il a même droit à sa petite caresse. Un baiser sur le front et Cindy ajoute :

— Tu vas faire le gentil maintenant mon gros pitbull… Tu sais, j'adore les mastocs dans ton genre !

Fin de son petit numéro.

C'est une Cindy triomphante qui s'apprête à porter l'estocade amoureuse à Polo. Elle lui adresse un regard enjôleur interminable. Polo ne moufte pas. Pique un énorme fard, impossible à masquer malgré tous ses efforts.

Las, l'intimité romantique naissante est brutalement ruinée par l'irruption musicale des manouches et des trans, revenus en dansant au cœur de l'action. Ils entraînent dans leur sillage des invités au comble de l'excitation, persuadés que la partouze s'est déplacée vers les escaliers pour d'inédites expérimentations érotiques.

19

Les invités s'entassent aux pieds de l'abrupt escalier, collés les uns aux autres. Les voix d'hommes et de femmes se mélangent, plus lascives les unes que les autres. Des bribes de phrases haletantes et désordonnées manifestent leur impatience de se prêter à de nouvelles scènes de luxure.

— Oui ma chère, dans les escaliers ! ... Et quels escaliers ! ... Oh mon dieu ! Jamais partouzé de la sorte ! Dantesque ! À la verticale ! JMdR est diabolique ! ... Oui ! ... Être prise la tête en bas... À nous... Sade ! ... Sodome ! ... Magnifique ! Merveilleusement libidineux ! ... Tellement original !

Soudain une voix plus forte que les autres invoque Sacha. Reprise en chœur par tous les invités : – Sacha ! Sacha ! Sacha !

Tous les regards se portent au sommet de la pente rectiligne de l'escalier, comme dans l'attente d'une divinité.

Sacha apparaît, brandissant le carnet, torse nu ruisselant de sueur.

Polo tente de s'éclipser. Cindy le retient, dépitée.

— Ne t'inquiète pas... Laisse-moi filer et fais-moi confiance, assure Polo.

Il disparaît.

✦

— Sacha ! Sacha ! Sacha ! insiste la grappe humaine des invités en rut et en délire.

Les musiciens manouches se déchaînent. Sacha se met à danser.

Il entame la descente de l'escalier, plus lascif que jamais. Glisse le long des marches comme un serpent. Entend les manouches improviser une version incandescente de *Light my fire* :

— Ils savent ! Ils sont en moi ! Ils jouent les Doors. Je suis le roi lézard ! Et tous ces corps en fusions, qui s'agrippent, me caressent. Je sens leurs peaux, leurs organes en émois. Je suis le Deus ex machina de leur débauche ! Leur veau d'or, celui des Hébreux en perdition. Sans Table de la loi. En manque d'une divinité ! Toutes et tous à mes pieds, contre mes cuisses, leurs mains, leurs bras sur moi, le long de moi, leurs bouches, leurs langues, leurs cris, leurs soupirs et leur immense râle de jouissance. Un chœur convulsif, anarchique.

Je les entends scander, crier mon nom.

Sacha dévale les marches vertigineuses de l'escalier en brandissant à bout de bras le carnet secret de JMdR au milieu des corps emmêlés, disséminés autour de lui.

— Barbare, sauvage, animal… Suis-je au centre de l'enfer ? Au centre du cercle de la lubricité ! Et au centre du centre, mon bras tendu vers le ciel et dans ma main le récit de toutes leurs ignominies consignées dans le carnet noir de JMdR. Que je leur lise. Ils vont s'entre-déchirer. Et Ann So l'emportera. Elle exultera devant ce tableau cannibale !

Sacha est parvenu entier au pied de l'abrupte l'escalier. Il s'avance dans le couloir qui le conduit aux marches monumentales descendant vers le salon. La grappe humaine des débauchés en rut, agrégés à lui. Son bras tendu vers le ciel suit le rythme effréné de la musique des manouches, les envolées des violons et des clarinettes. Le précieux carnet, bien serré dans sa main.

✦

Ann So assiste à la scène, dressée debout devant son écran, comme un coq de combat prêt à tuer. Voir les invités, les trans, les manouches danser ainsi autour de Sacha comme dans un péplum porno la rend folle. Elle hurle :

— Tu te prends pour Jim Morrison ! Tu n'es qu'une larve, tout juste bonne à me faire jouir ! Et encore, quand tu bandes !

Mon carnet ! je veux mon carnet ! Maintenant !

— In my hand baby... In my hand, roucoule Sacha pour toute réponse. Et il continue d'avancer au milieu de ses adorateurs des deux sexes.

— Prends-moi aussi pour une conne ! Ce n'est pas au Père-Lachaise, Morrison de pacotille, que tu vas terminer, mais dans une poubelle ! Et Ann So envoie le contenu du verre qu'elle tenait à la main sur l'écran, comme si elle l'envoyait au visage de Sacha.

Elle fulmine d'une rage qu'elle tente de maintenir froide.

— Avant tout garder le contrôle de la situation ! Injonction sans appel qu'elle se fait à elle-même, comme si elle se giflait pour retrouver son calme.

◆

Cindy est restée seule avec Dalbert, bien empaqueté sur les marches étroites de l'escalier.

L'espèce de radeau de la méduse de tous les vices, agglutiné à Sacha, s'est éloigné en direction du rez-de-chaussée. Le fracas de la musique rock manouche avec.

Elle regarde Dalbert.

— Je te laisse là mon chou. Sois bien sage. On viendra te chercher tout à l'heure. J'ai à m'occuper de ton boss.

Il trépigne, étouffe de ne pouvoir exploser.

— Ho ! mais c'est qu'il veut encore un bisou !

Elle se moque. Petit baiser sur le front. Il bouillonne de colère. Cindy affiche une indifférence altière et amusée. Elle s'éloigne.

20

Polo est parti à la recherche d'un invité encore en bon état, tout au moins ni à poil ni en guenilles. Il a fini par le trouver dans les jardins : un grand type en smoking blanc en train de fumer près d'un bosquet.

Polo l'observe discrètement. Le signale à l'attention d'une trans outrageusement féminisée venue le rejoindre, et d'un manouche dont la corpulence et la taille correspondent à celle de l'homme au smoking.

L'homme ne se fait pas prier pour suivre la trans dans le bosquet.

Des cris, des soupirs, des râles de bonheur... les vêtements du grand type volent au-dessus du bosquet dont toutes les branches frétillent à l'unisson.

Le manouche près de Polo se change aussitôt en invité au smoking blanc. Il y ajoute un demi-masque tout aussi blanc, pour le mystère et l'allure.

✦

Le véritable invité sort du bosquet quelques minutes plus tard, petit chapeau sur la tête, attifé en manouche. Hilare, au bras de la trans, dont le look semble avoir subi les assauts d'un ouragan. Tout sourire, elle aussi.

La lumière de la pleine lune commence à se dissiper. Bientôt ce seront les toutes premières teintes blafardes de l'aube.

La trans se refait une beauté. Polo et le nouveau personnage masqué au smoking blanc se dirigent d'un pas tranquille vers l'immense villa Rosebud, d'où leur parvient l'écho de la furie ambiante.

Rendez-vous a été pris avec Cindy pour une surprise du chef – le clou du spectacle !

21

Nous sommes dans le grand salon.

La petite foule des privilégiés, qui s'était déplacée vers l'escalier menant aux combles, redescend par l'escalier monumental. Elle danse autour de Sacha. Scande son nom. Le traite en divinité. Il se prête avec une infinie délectation aux contorsions obscènes de cette adoration païenne.

Le DJ s'est mis au diapason des variations échevelées de la fanfare rock manouche sur *Light my fire*. Le martèlement implacable et vrombissant des boucles électroniques plaque sur les violons, clarinettes, vents et tambours gitans, un effet de tremblement de terre.

— Réveillez les morts ! gronde Sacha depuis le haut des larges marches en marbre blanc.

Ses groupies en extase se répandent aussitôt dans la pièce. Elles sortent de leur torpeur les corps repus, avachis sur les sofas de velours et les tapis précieux. Interrompent les fornications en cours, excepté pour celles et ceux qui, trop près de la jouissance, continuent de baiser sans leur prêter la moindre attention.

La musique est à son paroxysme. Elle jette les corps dans la tourmente d'un mouvement de flux et reflux, au rythme des déhanchements sensuels de Sacha. Le tout se déroule dans la lumière vacillante des grands chandeliers, une odeur mélangée de bougies parfumées, d'encens, de sperme, de sueur, de fumée de haschich et d'alcools divers répandus accidentellement.

Le gris plombé de cette fin de nuit donne aux baies vitrées une allure de parois métalliques, devant lesquelles s'agitent des corps de plus en plus désarticulés

✦

D'un geste sec et inattendu, Sacha fait signe à la musique de s'arrêter. S'installe un silence haletant et immédiat.

Mégaphone en main, Polo saute sur l'un des buffets, au milieu des plats qu'il envoie valser.

— Regardez ! Réjouissez-vous ! Et redansez ! je vous offre un nouveau tableau ! proclame-t-il d'une voix distordue par le mégaphone. De nouvelles boucles électroniques du DJ dopent aussitôt à l'adrénaline, le *Light my fire* ressuscité des manouches.

Du fond de l'immense salon surgit Cindy, debout sur un grand plateau avec JMdR en laisse à ses pieds. Ils sont portés à bout de bras par les malabars de Dalbert, hilares et heureux sous l'effet des drogues qu'on leur a fait ingurgiter. Cindy est revêtue de ses plus spectaculaires atours de maîtresse. JMdR, de quelques oripeaux sado-maso.

Des invités dansent autour en vagues déferlantes. Le tout forme un interminable boa ivre et euphorique, secoué de spasmes par la musique.

✦

Sacha, seul désormais sur l'escalier monumental, contemple la scène d'un regard enfiévré.

Dans sa main, le précieux carnet qu'il lance à la volée en direction de Cindy. Nouveaux hurlements féroces d'Ann So dans l'oreillette. Réponse murmurée et narquoise de Sacha :

— Chuuuut… Qu'on s'amuse un peu. N'êtes-vous pas en train de gagner… Alors, patience, patience…

— La patience, ça ne te ressemble pas, crevure ! éructe Ann So.

— Un tel mot dans votre bouche, ma chère… Cela ne vous ressemble guère, vous parlez comme votre mari !

Nous réglons d'abord quelques comptes. Puis vous aurez votre carnet. C'est ça ou rien.

◆

Le carnet noir aux lettres d'or a atterri dans la main gantée de Cindy.

Comme un typhon qui s'approche du grand large, la musique se fait tempête. Polo se lâche comme jamais.

— Dansez ! Dansez ! Festoyez ! Paradez autour de Cindy, maîtresse de la nuit ! À ses pieds, le maître de maison… Regardez comme il aime qu'elle le dresse !

Sous les acclamations des invités, Polo en rajoute.

— Notre invraisemblable JMdR a voulu nous surprendre, faire de cette soirée un moment inoubliable. A-t-il réussi ?

— Ouiiii ! répondent les invités.

— Et ce moment, voulez-vous qu'il dure ?

— Oui ! répète la salle en chœur, bien plus fort.

Chaque réplique est ponctuée d'une réaction musicale destinée à galvaniser les énergies. Polo ne s'arrête pas en si bon chemin.

— Vous en voulez plus encore ? !

— Ouiiiii ! s'égosillent les invités déchaînés, pendant que Cindy agite le carnet dans sa main.

— Voulez-vous tout savoir des secrets de notre hôte, des portraits infamants qu'il fait de vous, des petites et grandes noirceurs de son âme ?

— Ouiiiiiii ! crient toujours plus fort les invités.

Nouveau sifflement d'une stridence assourdissante.

Polo dirige l'attention vers Sacha. Cindy lui relance le carnet. Buste luisant, yeux embrasés, regard halluciné, Sacha attrape le carnet au vol. Polo joute son grain de sel :

— Elles sont là dans ce carnet, les cachotteries les plus salaces de sa majesté JMdR ! Sa malveillance, sa duplicité, son mépris !... Faites-le voler ! Faites-le danser !

Sacha renvoie le carnet. Il plane au ralenti au-dessus de la foule des invités galvanisés.

Marisol entre dans la pièce. Elle s'assied à l'écart, calme, détachée, comme étrangère à toute cette agitation. Sacha l'aperçoit. Ils se regardent.

✦

Ann So, dressée devant son écran, s'était promis de garder le contrôle.

Voir les invités brailler – le carnet ! le carnet ! – alors qu'il vole de main en main la rend folle.

— Je vais te tuer, petite saleté de juif ! Si je n'ai pas le carnet dans l'heure, tu n'es plus rien ! fulmine-t-elle.

Sacha voit une main saisir le carnet au vol. Celle de Monsieur Henri. Il lui parle :

— Mon magicien vieillissant au phrasé délicieux, mon père véritable et protecteur !

Il voit Monsieur Henri, suspendu paisiblement dans le vide, assis sur son trapèze volant.

— Merci de ta présence ! De ton regard bienveillant ! C'est bien celui d'un père.

— C'est l'heure de vérité, répond monsieur Henri.

Sacha voit Monsieur Henri jeter le carnet à la volée. L'objet maudit si convoité tournoie dans les airs, toutes pages ouvertes.

— Mon carnet, bon Dieu ! ce nouveau hurlement d'Ann So transperce Sacha de part en part.

Réflexe de survie. Sacha arrache le diamant caméra qu'il avait à l'oreille. Si brutalement qu'il se fait saigner et déchire sa chair. Le jette, le plus loin, le plus fort possible, dans l'espoir qu'il se fracasse en mille morceaux. Ann So voit l'image tournoyer à toute vitesse. Soudain, plus rien. Écran noir !

— Mon carnet ! mon carnet ! gueule Ann So à en faire trembler les murs.

Frénétique, elle renverse et balance tout ce qu'elle trouve, autel vaudou et table comprise. Fracasse l'écran.

Le cri démoniaque d'Ann So rappelle à Sacha qu'il ne s'est pas débarrassé de son oreillette. Il l'arrache illico. La jette en l'air. Son geste lui procure un sentiment de volupté brutal et libérateur. Monsieur Henri s'en saisit au vol. Sacha voit la main de Monsieur Henri se refermer sur l'artefact maudit.

— Main de mon bienfaiteur, de mon protecteur ! invoque Sacha.

Quand Monsieur Henri rouvre sa main, elle est vide.

✦

Le carnet continue de voler de groupe en groupe, de main en main. Sacha saute sur l'un des buffets. Plonge au-dessus des invités. Saut de l'ange, comme s'il voulait voler avec le carnet.

Sous lui, le monde se transforme aussitôt :

Borborygmes, bribes de phrases hurlées en allemand, aboiements de chiens méchants. Les invités courent dans tous les sens, en panique. Ils fuient. Les musiciens aussi. Il y a les crépitements sauvages des mitraillettes, des cris de femmes, d'enfants, la présence de sa grand-mère en habit de partisan, fusil en main, bousculant les fuyards à contre-courant, au milieu des invités. Il y a Nina, debout sur un buffet. Un violon, jeté d'un train de la mort. Il flotte maintenant dans l'air, en apesanteur. Il y a le bruit métallique des roues pourries de ces trains de l'enfer sur les voies ferrées. Les fausses douches, l'innommable abjection… Infâme, immonde, putain de Zyklon B ! Et cette fête, la musique, le vacarme. Et les gens autour, nus, habillées, à moitié défaits, débraillés, smokings, robes du soir…

Sacha se jette dans la mêlée, flotte sur la vague, surnage.

Sacha entend monsieur Henri dans les haut-parleurs.
— Voix d'un amour paternel qui existe enfin. Elle me parle. Elle tonne. Elle se fait douce :
— La guerre est finie… Suis ton instinct. Profite de ton pouvoir. Il est ta prison. Il sera ta libération.
Sacha voit le visage de Monsieur Henri tout près du sien.
Sacha ne voit plus rien.
Tout est noyé dans un épais et sombre brouillard autour de lui.

22

Un voile noir est passé et s'est effacé devant ses yeux.

Sacha observe les invités, braillards, hilares, frénétiques. Ils s'adonnent à une immense bataille de tartes à la crème, petits fours, fleurs. Toute nourriture qui traîne sur les buffets ou par terre, est bonne à lancer. À défaut, ils s'en badigeonnent, s'en tartinent.

Sacha se délecte de voir JMdR menotté, attaché, bâillonné aux pieds de Cindy parmi les traces de victuailles écrasées.

Quand soudain, Ann So se dresse face à lui. En chair et en os. Debout sur un buffet qu'elle a débarrassé à grands coups de pied. Furie en guenille. Haletante d'être venue si précipitamment rejoindre la fête. Ann So défie Sacha droit dans les yeux.

Marisol n'a pas bougé de son poste d'observation. En fait, elle n'observe pas grand-chose. Elle flotte, secouée et emportée à la dérive au fil de ses pensées :

— JMdR... La fin... Une nouvelle vie... Ce drôle d'énergumène en transe devant moi... Pourquoi suis-je encore là ? Pour qui ? Pour lui ?... Pour le duel qui s'amorce... Pour l'improbable Polo, la délirante Cindy ? ... L'humiliation de JMdR, même pas une vengeance... Et Anne Sophie du Grimoir en harpie !... Trop médiocre, trop méprisable... Tous ces gens que j'ai si longtemps fréquentés... Un tas de mouches qui s'affolent, des mouches à merde... J'ai pourtant joué le jeu... Femme d'influence !... La plus grande ! La meilleure ! ... Pour quoi ? Pour qui ?...

✦

Ann So désigne Sacha d'un doigt rageur et accusateur. Elle interpelle les invités, bouche bée devant la violence et la brutalité de son irruption :

— Regardez-le bien ! On vous l'a vendu sulfureux magicien du sexe, dandy, brillant aristocrate russo-polonais... Sacha de je ne sais trop quoi avec son suffixe en ski ! Empereur d'un continent à l'obscénité tellurique. Nouveau dieu païen, porteur d'une promesse de jouissances extatiques qui allait vous projeter vers des cieux libidineux inédits. À son propos, je vous dois la vérité. Vous la voulez ?

— Oui ! scande la foule des invités. Leurs expressions sont marquées des traits d'une curiosité malsaine. Ann So n'en demandait pas tant. Elle crache son venin.

— Vous avez devant vous une petite fiente malodorante toute banale. Une petite pouffiasse ordinaire, un vulgaire usurpateur, un pique-assiette qui a jeté son dévolu de médiocre sur un milieu qui lui était inaccessible. Le nôtre ! Son pouvoir est un leurre, un filtre qu'il vous jette comme de la poudre aux yeux. Il vous glisse dans l'oreille des mots appris par cœur. Volés à nos plus grands auteurs, à notre culture, qui n'est pas et ne sera jamais la sienne !

Des mots fusent parmi les invités dont la masse oscille en flux et reflux erratiques.

— L'ordure ! ... Le goujat ! ... Le salaud ! Ah non ! ... Une canaille ! ... Moi j'ai adoré ! ... Une racaille... C'est tellement plus excitant ! ... Oh moi, il m'a trop fait jouir ! ... Oh mon dieu ! ... Quel pied ! ... Comme Jamais ! ... Après tout... On s'en fout ! ... Une extase ! ... Et maintenant, qu'il aille au diable ! Ah non ! ... Ah oui !

Ces ponctuations émaillent le discours ininterrompu d'Ann So :

— ... Il n'est rien ! Juste le fils pouilleux d'un petit affairiste juif, vendeur de chiffons du Sentier, escroc miteux de troisième zone... En fuite ! ... Une vermine incrustée parmi nous. Exploitant notre générosité ! Abusant de notre candeur, de notre crédulité ! Fourberie ! Dissimulation ! ... Un art tellement juif ! ... Il n'y a que les Arabes pour leur faire concurrence !

— Vous oubliez les manouches, et leur musique de métèques ! C'est Polo qui revient dans la partie. Il fait voler à grands coups de pied, le peu qui reste sur sa table.

Pas loin de lui, la haute silhouette de l'homme masqué en smoking blanc lui adresse un signe de connivence. Les manouches musiciens repartent à jouer. C'est très fort. Tous les invités se remettent à danser.

— Et les trans et les pédés ! s'écrie Cindy dressée fièrement sur son buffet.

— Et le mari de Madame ! ajoute-t-elle goguenarde, en montrant JMdR, toujours saucissonné à ses pieds au milieu de sa quincaillerie sado-maso nazie.

— Et moi et moi et moi ! renchérit Sacha.

Il se dédouble.

✦

Un Sacha voit le visage apaisant de Monsieur Henri debout près des grandes portes vitrées du salon.

— Tu as leur maudit carnet en main. Tu me protèges.

Sans ouvrir la bouche, Sacha sait qu'il parle ainsi à Monsieur Henri, d'âme à âme.

Un autre Sacha, une autre part de lui-même, porte sur les invités le regard barbare, du criminel, de l'incendiaire. Une envie emporte tout sur son passage :

Je veux être un ouragan dévastateur de mots, les cataractes qui s'abattent sur le roi Lear ! Je veux être une mitraillette. Mes mots, des balles traçantes.

Porté par les musiciens qui font corps avec lui, Sacha étripe ce petit monde qu'il voit en décomposition :

— Regardez-moi ! Usurpateur ! Étranger ! Métèque ! Profiteur ! Je suis tout ça à la fois !

Je suce… je vole… Je viole… Je suce votre sang ! … Vampires judaïques, disaient vos grands-parents maréchalistes ! Le sang des petits chrétiens pour la Pâque juive… Le sang des pogroms ! Pourtant j'ai survécu. Rien ne m'a pas empêché d'être là. Ici et maintenant ! Bien vivant ! Déterminé ! Vermine juive qui rampe, s'insinue dans les plis de vos vêtements ! Résiste à toutes vos tentatives d'empoisonnement chimique. Pénètre vos pores ! S'incruste dans vos soirées ! Vous fait bander et vous baise !

Au tour d'Ann So :

— Madame ma maîtresse, femme de monsieur notre hôte (geste dédaigneux pour JMdR aux pieds de Cindy) a abusé de mon dard et de mon nectar ! Elle s'en est délectée au point d'y perdre son âme, noyée dans des torrents de foutre !

Sacha souffle dans sa main.

— Pfuuuhhh… Volatilisée, son âme ! Désarmée, la dame ! Elle croyait que ses révélations allaient me tuer. Au contraire. Elles me ressuscitent d'entre les morts !

Les mots de Sacha tombent sur Ann So comme une avalanche de coups portés directement au corps. Elle est restée stoïque, debout sur son buffet comme sur un ring. Chancelante, mais refusant d'aller au tapis pour le compte. Elle serre les dents, se maintient droite, raide, livide.

Sacha se tourne vers la foule médusée des invités. Il aboie.

— Regardez-moi !

Il les maintient dans un silence hypnotique.

— Vous me regardez sans me voir ! Vous avez de la merde dans les yeux ! Bande de faux culs de l'espèce la plus cruelle qui se puisse être ! Vos singeries, vos simagrées, vos bonnes manières… De la poudre aux yeux ! Vous venez de vous enfiler les uns les autres, de vous faire courbettes et exquises politesses. Demain, vous vous croiserez, échangerez vos habituelles amabilités, mots d'esprit et propos de salons. Vous rirez et vous persiflerez. Pourtant vous vous détestez ! Vous vous jalousez ! Votre haine suinte de partout... Un raz de marée putréfié !

Il se tourne vers les musiciens.
— C'est bien. C'est parfait. Donnez-moi plus de son encore ! Plus fort ! Qu'on fasse danser les mots dans le chaos... Que ça claque !
Il regarde les invités. Ils sont un magma en fusion.
— Jouissez jusqu'au climax babies ! Au climax !... Ma langue est un fouet ! Libérez votre méchanceté ! Répandez votre fiel ! Votre libido vénéneuse ! Vos pulsions les plus délétères ! Jetez-vous les uns sur les autres ! Vous êtes des louves et des loups... Déchirez-vous ! Détestez-vous ! Vous méritez la damnation. Une infinie jouissance de l'horreur... Un gouffre béant s'ouvre devant vous. Plongez-y à en crever ! Le divin marquis, par ma bouche, vous y invite, même s'il me manque ses magnifiques imparfaits du subjonctif.

Les invitées se crêpent le chignon, d'autres se giflent, s'embrassent, se repoussent, s'étreignent. Ils ne forment plus qu'un seul corps, immense, disloqué, convulsif, secoué des spasmes d'une exécration triomphante.

✦

Polo se régale du numéro de férocité incendiaire de Sacha.
Sans bouger de son promontoire, Cindy goûte le show en experte. Au passage, elle inflige joyeusement une multitude de petites tapes vexatoires à JMdR, agrémentées d'un moqueur – *Maîtresse Cindy éduque son gros chien !*

Ann So, plantée debout sur sa table, n'a pas réagi. Pétrifiée, impuissante devant le spectacle de cette invraisemblable et pitoyable débandade.

Sacha triomphe.

23

Polo consulte sa montre. C'est maintenant, pense-t-il.

Du haut de sa table, il lance un pistolet à l'homme masqué au smoking blanc, posté non loin de lui. Impassible, le mystérieux invité attrape le pistolet au vol. Tend le bras vers le ciel. Tire en l'air. Le bruit assourdissant de la détonation provoque un effet de sidération immédiat.

Le silence retombe sur la fête.

— Merci de votre attention, déclare Polo avec une extrême courtoisie. Rassurez-vous. C'est un pistolet de cinéma.

D'un geste plein de déférence, il introduit son complice au pistolet.

— Notre ami souhaite vous lancer une invitation que vous n'aurez aucune peine à accepter.

C'est dit sur un ton exagérément aimable et enjôleur.

Cindy lance à Polo une œillade émerveillée. Il feint de l'ignorer. Peine perdue, elle insiste. Bien obligé de réagir, il lui renvoie un sourire. Pour Cindy, c'est du quasi-sentimental. Elle le gratifie d'un baiser volant et d'un doux murmure.

— *Mui callente, mi amor !* lit-il sur les lèvres de Cindy.

La voilà qui s'imagine dans un vieux film d'Almodovar ! pense Polo, façon *je garde mes distances*. Raté ! À la grande satisfaction de Cindy, un nouveau rosissement intense saisit les joues de son gros macho.

✦

L'homme au smoking et masque blanc formule son invitation avec un accent russe de cinéma.

— Vous êtes invités pour after inoubliable chez grand ami oligarque ! Propriété somptueuse ! Créatures divines vous attendent ! Mets exquis ! Vins sublimes ! Résidence magique, pareille villa Éphrosie de Rothschild Saint-Jean Cap Ferrat ! Ici, trop banal. Suivez derrière moi !

Le tout est ponctué d'une série de coups de feu évoquant l'ouverture de la Cinquième de Beethoven, aussitôt reprise et métamorphosée en mode survitaminé par les manouches musiciens.

Pistolet de cinéma ou pas, les invités se mettent en branle.

Ils ramassent leurs affaires. Quittent la pièce à toute vitesse, pour se regrouper sur le perron, au son d'une sérénade arrangée sauce gitane-paprika des plus corsée, par la fanfare manouche.

◆

Sacha regarde Monsieur Henri, un pied sur le perron, un pied dans le grand salon. Tout sourire. Il tient le carnet dans sa main.

Simultanément, les yeux exorbités d'Ann So, figée debout sur sa table comme une statue, scrutent toute la salle en quête du maudit carnet.

Dehors, les invités tentent de se rhabiller en catastrophe, au rythme des injonctions de l'homme masqué au smoking blanc et d'une musique dont le tempo ne cesse de s'accélérer.

À la faveur d'un nouveau coup de feu, l'homme à l'accent russe donne le signal du départ en éclatant de rire.

— Davaï ! Davaï ! Allez ! Allez !

Lui devant. Les musiciens derrière, entourant les invités comme des chiens de berger les moutons. Le troupeau avance dans le plus grand désordre.

Ici une femme coure en claudiquant, une chaussure au pied, l'autre à la main. Là, c'est un homme en smoking, la chemise débraillée, en souliers vernis sans chaussettes, bite à l'air et pantalon dans la main. Plus loin, une femme trébuche d'avoir mal fermé sa robe-fourreau qui se déchire en déclenchant les rires. Tout est à l'avenant. Une chose est sûre, les invités ont retrouvé toute leur énergie et le goût de la fête.

Ça rit, ça crie, ça tombe, ça se relève, ça se pelote, ça danse, ça court. Et la fanfare manouche entraîne le tout dans une fougueuse sarabande.

◆

Sacha regarde cette folie s'éloigner en rangs désordonnés.

D'un geste de magicien, ample et magnifique, Monsieur Henri lance le carnet. Sacha voit l'objet de tant de convoitises se transformer en oiseau.

L'oiseau s'envole. Va se poser dans la main de l'homme masqué au smoking blanc.

L'oiseau redevient carnet. L'homme agite ce carnet à bout de bras, en éclatant d'un rire méphistophélique. Il presse le pas. À sa suite, tous les membres de la grotesque équipée réagissent à grand bruit.

Ann So aperçoit enfin son maudit carnet en tête de cortège. Se lance à sa poursuite. Est freinée dans sa progression par quelques croche-pieds d'un petit personnel à l'humeur vengeresse.

◆

Monsieur Henri adresse à Sacha un sourire indulgent et généreux, avant de disparaître dans la douceur paisible du petit matin.

Sacha regarde droit vers l'est. S'imprègne de la lumière tendre qui précède le lever du soleil. Ferme les yeux pour en prolonger la magie. Un voile se pose devant lui comme une gaze de soie ondulante sous l'effet d'un léger frémissement du vent.

Sacha voit défiler sur cette gaze les images d'un autre temps :

Collines verdoyantes, une ferme, un verger, des pommiers, une petite bâtisse indépendante, une synagogue familiale, une église en bois, des chiens, des chevaux... Le berceau de ma famille. Extrême sud-est de la Pologne, Slovaquie, Ukraine, l'URSS de Staline, les Tatras, montagnes verdoyantes et forêts. Là où ils furent heureux avant le cataclysme. La Shoa... l'anéantissement.

Des visages féminins prennent le pas sur les paysages :

Paysanne au fichu et aux traits acérés (photographie jaunie de mon arrière-grand-mère). Toute jeune femme à peine sortie de l'adolescence aux longs cheveux blonds enveloppés dans une épaisse canadienne d'homme, mitraillette à la main (ma grand-mère). Nina aussi.

Enfin, le visage de ma mère. Je l'ai occultée, sortie de ma vie. Je n'ai plus pensé à elle depuis des années. Elle aussi est partie. Personne ne l'a chassée. Elle a quitté la France. Elle y était une paria au français exécrable. Ma honte, puis la honte de cette honte. Elle a voulu m'emmener. J'ai refusé. Elle s'est sentie abandonnée. Oui, je l'ai abandonnée. Trahie ! Abandonnée ! C'est mon père qui m'a acheté. Promesses de grandeurs, rêves de luxe et d'opulence. Ébloui. Aveugle. Avide. Voilà ce que j'étais. Vénal ! Vendu ! Faire la pute dans le grand monde, j'étais prédisposé. Et puis de l'autre côté de la Méditerranée où elle s'est réfugiée, ma mère s'est murée dans le silence. Digne à en mourir – de chagrin peut-être. Alors j'ai tout effacé, tout rejeté, tout enterré, brûlé. J'ai cautérisé les morsures de la culpabilité, les ai noyées dans le stupre. Bouffon de luxe et de luxure ! Jusqu'à cette nuit... Un séisme d'une magnitude infinie m'a fait brûler tous mes vaisseaux.

Reste-t-il encore quelque chose debout ? Y a-t-il place dans les décombres pour un sentiment, un nouveau jour ?

Soudain, un double cri non identifié déchire la gaze sur laquelle défilaient les visions de Sacha. Quelques gouttes ruissellent sur sa joue. Il pleure.
À peine… Mais il pleure.

◆

— Mon carnet ! Mon carnet ! C'est le double cri d'Ann So, lancée comme une dératée à la poursuite de l'extravagante procession, emmenée par la grande silhouette masquée au smoking blanc.
Il brandit le carnet comme un signe de ralliement. Les invités suivent, hilares, galvanisés.
Ann So perd un soulier, trébuche, se redresse, en perd un autre, repart pieds nus, ses escarpins à la main. À la traîne, pourchassant les invités sans parvenir à les rattraper.
Ils disparaissent peu à peu dans les jardins. Elle les suit. Elle court. Elle crie.
— Mon carnet ! Mon carnet ! Personne ne l'entend plus. Elle court. Elle court.
— Mon carnet ! Mon carnet !

La musique et les bruits s'éloignent. Ils s'estompent peu à peu.

Sacha contemple les jardins de la villa Rosebud, vides désormais. Il sourit.
C'est un sourire triste. D'une tristesse apaisée, venue des tréfonds de son âme. Sans rien pour la déformer. Il se sent nu et libre. Plus de masque désormais.

24

Sacha contemple le grand salon plongé dans le silence. Le sol est jonché de nourritures, éclats de verre, bouteilles, fleurs et flaques diverses de natures indéterminées.

Cindy se prélasse sur un confortable sofa. À ses pieds, elle considère avec ravissement Dalbert et JMdR, entravés et bâillonnés côte à côte. À JMdR, elle a réservé le privilège d'un nouveau saucissonnage de fête. Bâton d'officier nazi dans le cul et casquette SS sur la tête.

Elle jette un regard faussement ingénu en direction de Polo. Guette son approbation. Polo la félicite d'une révérence. Elle lui adresse une volée de baisers incendiaires. Le rosissement initial de Polo vire à l'écarlate.

— Mon primate au cœur d'artichaut serait-il en train de craquer, pense Cindy, tout au plaisir de voir Polo s'empourprer de la sorte.

Polo assume cet échange sans paroles. C'est sa façon tordue de déclarer sa flamme.

Il regarde à nouveau sa montre. Jette un œil vers l'extérieur. Signifie, d'un geste quasi affectueux à Cindy, qu'il doit sortir faire le guet.

Elle lui adresse un nouveau baiser interminable. Il lui répond d'un baiser volant, prolongé. Une expression enchantée illumine le visage de Cindy.

Polo se poste en observateur sur la terrasse, sous l'œil attendri de Cindy.

✦

Sacha s'est laissé tomber à terre. Appuyé contre le mur, détrempé, en lambeaux (il a récupéré quelques vêtements), mais apaisé. Son regard se tourne dehors, vers le ciel. Une page blanche sur laquelle il entend tracer un avenir libéré de ses fantômes.

Marisol se tient par terre, elle aussi, à l'autre extrémité de la pièce. Étrangère à toutes les convulsions qui s'y sont déroulées. Inexpressive. Immobile. Elle regarde Sacha.

Se revoit lui jetant à la figure, avec tout le mépris dont elle se sait capable, qu'elle venait d'en virer un comme lui de sa vie. Julien, son compagnon, son alter ego.

Elle se refait le film du moment où ça s'est passé. Où, avec julien, tout a cassé.

✦

Elle revoit une aube blafarde. Retour de l'une de ces soirées sans fin, faites de singeries auxquelles ses obligations mondaines la condamnent. Fatiguée d'avoir joué l'indifférence hautaine pour ne pas être importunée, mis en scène son originalité avec cet air d'accorder une grâce quand elle se laisse approcher. Provocatrice hors code, tantôt dandy androgyne, tantôt outrageusement féminine, selon ses humeurs et ses stratégies. Ce matin-là, elle pousse la porte.

Julien est affalé dans un nuage de fumée devant l'immense table basse. Des cadavres de bouteilles à ses pieds. Le cendrier déborde de mégots. Sur la table, une grande enveloppe kraft, des photos éparpillées : Julien au bureau, en train de baiser une jeune stagiaire ! Sur l'enveloppe une dédicace : *Une mineure ! Avec tous mes compliments...* Et un paraphe : *JMdR !*

— Bande de porcs ! explose Marisol. Tout explose en elle.

✦

L'ouragan des souvenirs emporte Marisol, toujours prostrée, toujours à terre. De l'autre côté de la pièce, Sacha.

Elle le regarde comme un horizon, une autre terre, un rivage.

Marisol est une coquille de noix giflée par des bourrasques en forme d'éclats de voix. Ils submergent sa boîte crânienne, la basculent cul par-dessus tête.

Elle réentend des mots, des bribes de phrases, qu'elle a adressés à Julien, à Sacha, à son avocat. Des fragments de leurs réponses, aussi :

— Monsieur l'artiste à la mode, dégoulinant de suffisance ! Éblouis tes connasses prétentieuses, journalistes, blogueuses, influenceuses et autres instagrameuses à coup de partouzes thématiques et orgies conceptuelles. Je m'en balance... Mais cette saloperie !

— Mais oui maître, ce connard en partouze SS !

— Et alors ? Alors le scandale, je m'en fous ! Ce type n'existe plus !

— Et toi le chaman du cul, tu crois m'impressionner ? Et si tu n'étais qu'un enfant perdu, un aveugle avec ta bite pour canne blanche !

— Et toi, avec qui j'ai partagé ma vie ! Un compagnon, ça ? Impardonnable ordure ! Une gamine ! Un viol ! Et au lieu de fermer ta sale gueule, tu te défends. Un viol ! C'est ça.

— C'était une provocation ! Une fausse apprentie, une racoleuse payée par JMdR pour me piéger.

— La ferme ! JMdR, ses chantages, ses immondices, j'en fais mon affaire. Mais ça ! Ta bite pour toute humanité ! Ton foutre en guise de moelle épinière ! Ton irresponsabilité pour matière grise ! Et tu te cherches des excuses ! Fous le camp !

Calme plat. Le cyclone vient de passer. Marisol reste silencieuse. Interdite.

✦

Marisol se revoit anéantie, après avoir jeté dans un immense accès de rage, toutes les affaires de Julien dans la cage d'escalier. Seule des jours durant, elle écoute les Nocturnes de Chopin. Le piano d'Arthur Rubinstein.

— Plus rien n'existe sur la terre que ces notes de piano. De petites molécules qui virevoltent et me maintiennent en vie. Elles appellent et sèchent mes pleurs, me bousculent, m'enveloppent pour me réconforter. Elles aiment ma tristesse, caressent mon désespoir, font même par surprise, au détour d'une mesure, ressurgir l'idée du bonheur, aussitôt dissipée, noyée par l'amertume.

Ainsi s'étire le temps... Quand, à la faveur de quelques notes miraculeuses, un ange passe. Il a figure humaine... Et un nom : Alexis. Mon tendre cousin, mon aîné, pianiste concertiste, mort du Sida. Il était mon grand frère, mon ami, mon confident, mon complice. Le seul membre de la famille avec lequel je n'étais pas en guerre. Je l'écoutais back-stage quand il donnait ses récitals. Je tremblais, je vibrais, j'applaudissais à tout rompre avec le public. Je lui offrais d'immenses bouquets. Dans la loge on buvait sans retenue, on faisait des batailles de fleurs, on riait, hurlait, dansait notre bonheur, on accueillait nos amis. On sortait. Partout, on était chez nous. New York, Paris, Berlin, Tokyo, Moscou, Londres, San Francisco, Séoul… Alexis parcourait le monde. J'aimais aller le retrouver. Il m'a fait découvrir le piano, les Nocturnes de Chopin et Rubinstein, le musicien, le personnage.

◆

Marisol est passé du côté des morts. Elle parle à son bien-aimé fantôme :

— Rubinstein, génie musical, magicien, pitre et mondain facétieux aux pieds aériens que tu admirais tant. Alexis aux mains de velours, mon amour de cousin… comme tu me manques !

On était toi et moi les enfants des sœurs dingos. Nos mères et leurs grands coups de pied dans la fourmilière des bonnes mœurs et bons usages. Les sœurs à scandale ! Fuck la famille. Choquées, les mânes des ancêtres maréchalistes, collabos, nazis franchouillards ! Bye bye les intégristes et leur morale assassine ! Adieu ! Farewell ! Elles les ont payées cher, leurs frasques, nos petites mères ! Déversement d'ordures dans les journaux, haine de la famille. D'abord la mort de ta mère, transpercée par leur méchanceté comme par des lancers de couteaux. Au fond, elle était trop douce, trop sensible pour ces monstres au sang glacé…

Et ta propre mort, tendre Alexis ! … Comme si tu avais décidé de la leur jeter à la face, emballée dans ta débauche et ton sida contracté dans les boîtes à pédés berlinoises. Le tout au titre d'une vengeance posthume de ta maman chérie. Pour la rejoindre aussi, peut-être. Que la fange ainsi remuée par leur vanité hargneuse de bienpensants leur retombe dessus ! Qu'elle salisse ces salopards !

Puis, ce fut au tour de ma mère. Expédiée à l'asile, attachée manu militari devant moi. Incapable de m'interposer, muette, tétanisée par la peur. Lâcheté ! Infâme lâcheté ! m'a crié un reste de conscience. Je l'ai endormie, anesthésiée au fil des années. J'étais bien la reine de l'influence. Talent expérimenté sur ma propre intimité. Et le grand monde fêtait Marisol la guerrière ! Mondaine et reine de la com ! Celle qu'on admire, qu'on jalouse, qu'on écoute, qu'on craint et qu'on envie.

Pourtant, si loin de ce cirque, derrière la brillante façade, Alexis, toi seul le sais, je rêvais à l'amour sans calcul d'un prince charmant. Un rêve qui nous faisait pleurer tous le deux devant les happy ends de cinéma.

◆

L'évocation de ses émois de cinéma rallume la lumière dans la salle.

Les yeux de Marisol parcourent la Bérézina du grand salon. Cette allégorie de la déroute de JMdR, empaqueté avec son sbire aux pieds de Cindy, lui offrent quelques secondes de bonheur. Des larmes coulent sur les joues de Marisol.

— Larmes gracieuses, en mémoire d'Alexis. Larmes d'adieu à ma honte, mon impuissance… L'enfermement de maman, l'exécution sociale de Clara… Plus rien à enfouir désormais ! Tout a basculé par-dessus bord dans le cataclysme de cette nuit.

Le regard de Marisol glisse comme un long travelling, sur les détritus au sol. Elle ferme les yeux. Elle voit Sacha. Il était un horizon inaccessible quand le raz de marée des souvenirs et des tourments l'a submergée. Il est là dans sa ligne de mire, le calme revenu.

Marisol voit un Sacha dépourvu de toute arrogance, fixant le bleu encore pâle du ciel.

Il semble abandonné à quelque rêverie. Sur son visage, elle lit l'esquisse délicate et énigmatique d'un sourire.

25

Sacha sourit à Monsieur Henri. Il lui fait ses adieux. Il rend grâce à son père de cœur dont le visage se détache sur l'azur d'un ciel, incendié maintenant par les éclats rougeoyants du soleil levant.

Sacha rend grâce à Monsieur Henri d'avoir été là pour lui. De lui avoir tendu la clé pour une autre vie.

— Oserai-je en ouvrir les portes ? questionne-t-il.

— Oui, lui répond sa propre voix comme s'il s'agissait d'un autre lui-même ; alors que s'estompent les traits lumineux de monsieur Henri, sur un ultime sourire d'une incomparable bonté.

Hommage à monsieur Henri, Sacha se met à fredonner. Il fredonne les quelques mesures magiques du violon de l'andante du concerto de Tchaïkovski. C'était notre air. Celui qui scellait notre lien chéri et indestructible.

Il fredonne en boucle ces quelques mesures. Ad libitum… Il en fait une psalmodie. Y met toute son âme, teintée d'une joie inédite. Celle de sentir vivant en lui un amour qu'il n'a, à ce jour, jamais su donner ni accepter de recevoir.

✦

Tout juste a-t-il noté la présence sur le perron d'un Polo plutôt nerveux, avant de laisser ses yeux revenir vers le grand salon.

Il y voit Marisol en train de le détailler. Il la voit belle. Sans artifice.

— Naufragée innocente… C'est ainsi qu'il la voit. Loin du mépris insolent qu'elle affichait, quand il vint la retrouver dans les arrière-cuisines.

C'était à l'orée de cette folle nuit. C'était le monde d'avant, pense-t-il.

✦

Sacha se lève. Il se met à danser sur cet air de violon qu'il ne cesse de fredonner. Il entend la mélodie d'un orchestre divin.

— Un peuple de stradivarius et de violons magiques rescapés de la Shoa. Riche de tant d'âmes, de vies et de désespoir. Aujourd'hui, d'amour. Peut-être même de joie.

Marisol entend cet air qu'elle avait surpris dans les arrière-cuisines. L'heure n'était pas alors à en accepter la beauté. Mais tout a changé.

Sacha glisse et tourne sur l'immense parquet. Léger, gracieux, accueillant, offert.

Il décrit un cercle, puis un autre, puis une multitude de cercles. Il invente un autre monde.

Sans un mot, il y invite Marisol. Sans un mot, elle accepte. Pénètre le cercle et danse avec lui.

Ils dansent. Tournent. S'éloignent. Se rapprochent. Disparaissent.

Dans son coin, Cindy distribue quelques tapes sévères sur les fesses de JMdR et de son homme de main. – Qu'ils se tiennent bien. Éducation anglaise oblige ! lance-t-elle d'un air réjoui. Elle garde surtout un œil de Chimène posé sur son Polo, absorbé à faire le gué sur le perron.

26

Polo scrute la pinède qui borde les jardins de la villa. Reconsulte sa montre.

— Cette fois-ci, c'est l'heure, marmonne-t-il pour lui-même, avant d'exécuter ce sifflement strident dont il a le secret.

À ce signal, une cohorte d'ex-salariés de JMdR, emmenée par Clara, accourt depuis la pinède à travers les jardins de la villa. Il y a de tout : secrétaires, techniciens et régisseurs, videurs, gogo danseurs et danseuses, faire-valoir sexuels de boîtes à partouze. Toutes et tous maltraités par JMdR, abusivement licenciés, virés à coups de pied au cul, ostracisés, mis sur la paille, victimes de ses magouilles et misérables chantages.

Le joli petit groupe, habillé à la va-comme-je-te-pousse, est accompagné par deux types tirés à quatre épingles, attachés-cases en main. Un huissier, un avocat.

✦

Polo les accueille chaleureusement. Les précède pour entrer dans la villa, avec à ses côtés l'avocat, l'huissier et Clara.

Sur un signe de Clara, deux des régisseurs présents arrangent une petite table et une chaise. Avec l'assentiment de Cindy, ils y installent JMdR, toujours aussi bien ficelé.

— Droitier ! signale Clara à l'adresse des régisseurs qui libèrent le bras droit de JMdR.

Elle le fixe.

— Clara pour vous servir… Vous m'avez viré par la porte, je reviens par la fenêtre !

— Avec tambours et trompettes ! souligne Polo, goguenard.

— Votre plus beau stylo, votre chéquier. Ne me demandez pas comment nous nous les sommes procurés. Top Secret. Il y a tant de gens qui vous aiment ! souligne Clara, avec un sourire dont elle se régale à étaler l'ironie.

Elle pose plusieurs feuillets imprimés sur la table, à côté du stylo et du chéquier. Regarde JMdR.

— Cette tenue vous va à ravir ! Elle met magnifiquement en valeur les traits essentiels de votre personnalité… Et ce petit côté nazillon perverti à balais dans le cul, quelle trouvaille ! N'est-ce pas ?

Pour la première fois, elle savoure l'expression haineuse qui ravage la physionomie de JMdR.

◆

— Après ce préambule, certes un peu long mais indispensable, reprend Polo. Passons aux choses sérieuses.

Il joue avec grandiloquence le maître de cérémonie. Intronise d'un geste clownesque et solennel les deux messieurs en costumes trois-pièces.

— Comme vous le constatez, je suis bien accompagné. Maître de la Brossalluire ténor du barreau, Maître Auhagard, huissier de justice, pour vous servir !

Les deux messieurs exécutent un petit tour sur eux-mêmes et se font applaudir par l'assistance.

Polo continue :

— Je ne vous ferai pas l'injure de vous présenter Clara. (Il pointe JMdR.) Ce sinistre trou du cul s'est personnellement occupé d'elle ! Mention spéciale, bien évidemment à ma chère Cindy.

Polo prend le temps de la regarder avec une tendresse qu'il ne lui a jamais manifestée. Il interpelle JMdR :

— Certes, en cette nuit frénétique, vous avez commencé à expier et payer votre dette. Mais la créance est longue comme un bras ! Celui qu'on en train de vous couper.

Cindy sourit, aux anges. D'un geste ronflant, Polo indique à JMdR l'ensemble de l'assistance.

— Tous ces autres, vous ne les connaissez même pas. Du menu fretin, comme vous les nommer. Vous les avez juste jetés comme des merdes ! Toutes mes excuses, si je suis grossier, ajoute Polo, très content de lui. Il marque un temps.

Le public soupire d'aise. Dalbert se fait le plus discret possible.

Polo raffole de son rôle de tribun. Il prend la pose, en rajoute. On est entre Groucho Marx, Fidel Castro et Mussolini pour les grimaces.

— Pour en venir aux faits, le choix est simple et le dilemme cornélien. (Il fixe JMdR droit dans les yeux.) Soit, vous devenez sur le champ une célébrité planétaire grâce à la circulation immédiate des images de votre magnifique soirée ; la partouze la plus mémorable de la côte ! Exactement ce que vous aviez souhaité… Et vous en star absolue ! Inoubliable avec votre bâton de maréchal nazi dans le cul ! Soit sous le contrôle de nos deux hommes de loi. Et nous vous savons grand amoureux des procédures, vous payez sur le champ les sommes indiquées en face de chaque nom. Je vous sais amateur de justice. Ne craigniez rien. Clara n'a oublié personne.

Polo considère longuement JMdR avec un plaisir démonstratif.

— Ne me dites pas que vous trouvez les sommes insuffisantes ! Informés par votre délicate épouse de votre infinie générosité, nous n'avons pas mégoté sur les zéros et anticipé les élans de votre cœur. J'espère que nous ne les avons pas trahis. Pour vous rassurer à son sujet, Madame nous a pardonné les outrages que nous lui avons fait subir en échange des vidéos les plus croustillantes de la soirée. Ça l'aide à cuver sa rage. Et elle aime tellement le cinéma ! Par parenthèse, elle s'apprête à demander le divorce. Et souhaite maintenant vous aider à retrouver les joies simples du milieu rustique qui vous a vu naître. Puissiez-vous enfin jouir de votre trou du cul de fond de vallée bouffé par la pollution. Vous pourrez peut-être finir par vous y rendre utile ! Quant à la jet-set qui se pavane au bon air des stations de montagne, dont vous aviez commencé par être le larbin en draguant ses rombières envisonnées, elle ne veut plus de vous. Tricard à jamais ! ... Eh oui, j'en sais des choses sur votre compte.

Polo soupire d'aise. Il fait durer le plaisir.

— Sur ce, pour faire court, prenez votre beau Mont-Blanc. Lisez. Remplissez. Signez !

Grisé par ses paroles, Polo lance un bras vers le ciel. Puis vers JMdR.

— Il paie, c'est sa tournée !

— Polo ! Polo ! Polo ! martèle l'assistance enthousiaste, avec Cindy en première groupie et chef de chœur.

◆

Une voix couvre soudain le vacarme. L'un des régisseurs a pris possession de la sono.

— À toi Polo ! ... Ta chanson camarade ! beugle-t-il dans le micro avant de lancer *My way*, version Sex Pistols.

C'est avec son oncle tonton flingueur et punk à ses heures que Polo en avait fait son hymne perso. Il avait même réussi – mémorable nuit, à entraîner toute la Manouche Factory dans son délire.

Là, ils sont tous à danser, faire les pitres, se jeter les uns dans les autres, s'enlacer, s'embrasser.

— Pogo ! Pogo ! Polo ! Polo ! brament-ils en chœur, en désordre et en riant.

Sans oublier de passer à tour de rôle à la caisse, où Cindy veille au grain ; piquant ici et là d'un coup de fourchette, les fesses de JMdR qui sursaute.

— Au travail, ma fureur !

Elle entend Polo beugler :

— *I face them all !* Il enchaîne, chante faux, s'exalte.

Tout le monde reprend :

— *I did it... My way!*

Polo est euphorique au milieu de ses gens heureux. Il se laisse emporter par le mouvement général.

Cindy regarde Dalbert.

— Toi, tu es libre. Va te rhabiller. File te mettre au service d'un type moins pourri que celui-ci. Mieux, cesse de faire le larbin... Un petit effort, ajoute-t-elle tout sourire. Et elle lui claque un nouveau baiser sonore et farceur sur le front.

Aussitôt libéré de ses entraves, secoué et avalé au passage par le flot des danseurs, Dalbert détale sans un regard pour JMdR.

Ça braille, c'est euphorique, ça répète en boucle :

— *I face them all ! I did it my way !*

Polo exulte :

— Je leur ai fait face et les ai bien niqués... À la Polo !

Emporté par le chaos général, presque titubant, ivre de bonheur, il se fraie un chemin jusqu'à la terrasse.

Seul dans l'agréable douceur du petit matin. Apaisé, Polo savoure son triomphe.

◆

Il pose un long regard circulaire à travers la baie vitrée sur la totalité des gens encore présents.

Adresse une expression admirative à Clara qui, dans l'euphorie, veille à la bonne distribution des chèques. Se délecte du tableau de JMdR en philanthrope :

— J'adore ses yeux qui pendouillent mollement comme s'ils allaient tomber de leurs orbites, sa queue tout aussi molle qui s'étire entre les jambes... Queue molle version Dali ! Un magnifique désastre surréaliste !

Le regard de Polo se fixe sur Cindy.

Pour la première fois, elle discerne chez lui l'expression d'une attente. Elle lui sourit.

— Mon héros ! chuchote-t-elle, admirative. Moqueuse et tendre à la fois.

Polo lui sourit en retour.

Puis il se tourne vers le ciel. Le buste et le regard en direction du soleil. Offert, totalement relâché. Il respire à pleins poumons en fermant les yeux. Goûte l'instant. En repos... Enfin !

✦

Dans le grand salon, le calme est revenu. Cindy s'est défaite de ses frusques de maîtresse d'apparat. Elle s'empare d'une soierie miraculeusement intacte, abandonnée sur l'un des divans. Elle s'en fait un long vêtement, une traîne, un manteau de reine.

Altière, elle sort rejoindre Polo.

Ils sont côte à côte. Elle, la reine, sa traîne de soie. Lui, en guenille, détrempé, les cheveux collés par la sueur, et deux dents en moins. Cindy, reine de Saba et Polo, le bolcho !

Tous les regards sont dirigés vers eux.

Sur la terrasse, Polo et Cindy se tournent lentement l'un vers l'autre. Se font face. S'embrassent. Polo fait tournoyer Cindy en hurlant de bonheur.

L'immense pièce croule sous les applaudissements, les « my way » scandés, chantés, braillés dans l'allégresse et les tours de danse effrénés.

27

Assis côte à côte, Marisol et Sacha contemplent l'éclat du soleil levant, sur la mer. C'est ainsi que cette histoire a commencé, c'est ainsi qu'elle se termine. Charge à la vie de lui donner une suite.

✦

Sacha les yeux fermés, goûte aux premières caresses du soleil, au parfum de la pinède, à la fraîcheur de la brise marine.

Le film de cette folle nuit de tous les dérèglements et de tous les règlements de comptes affiche le mot fin, qui lui-même disparaît. L'écran est noir.

Sacha rouvre les yeux. Marisol a posé tendrement la tête sur son épaule. Ils sont baignés d'une lumière caressante.

Marisol, les yeux clos à son tour, se laisse emporter par la mélodie de la plus douce des sonates de Chopin.

Elle flotte. Elle fait la planche. Bercée par le délicat mouvement de la mer sous son corps. Le soleil du matin la caresse délicatement. Réchauffe sa peau. Pose sur ses paupières closes un voile éblouissant.

Elle s'entend murmurer :

— *Un grand vaisseau d'or, au-dessus de moi, agite ses pavillons multicolores sous les brises du matin.*

142

C'est comme si une nouvelle part d'elle-même prononçait ces paroles.

Le son d'une autre voix, une voix étrangère, celle de Sacha, prolonge le poème de Rimbaud. Marisol y mêle son propre chant :
— *J'ai créé toutes les fêtes, tous les triomphes, tous les drames. J'ai essayé d'inventer de nouvelles fleurs, de nouveaux astres, de nouvelles chairs, de nouvelles langues. J'ai cru acquérir des pouvoirs surnaturels. Eh bien ! je dois enterrer mon imagination et mes souvenirs ! Une belle gloire d'artiste et de conteur emportée !*

Telles sont les mots que soufflent en chœur Marisol et Sacha.

✦

Marisol ouvre les yeux, tourne la tête, voit le visage de Sacha ; ferme les yeux, revoit ce même visage, douze heures en arrière.
— Péremptoire, insupportable d'orgueil, quand il m'a balancé cette mer mêlée au soleil dérobée à Rimbaud, avant de prononcer mon nom. Il était l'attraction érotique de la soirée. Le beau mâle irrésistible ! Une gouape lubrique en service commandé pour me détruire. Le bouffon ridicule au service d'un roi de pacotille, pervers et dépravé : JMdR, sa cour de dindes et de dindons !

Alors, voir cette boursouflure pathétique me citer en frimant la Saison en Enfer !... La Marisol que j'étais hier n'eut qu'une envie : pulvériser cette grande gueule.

Et s'il avait juste voulu m'avertir à l'orée de cette nuit programmée pour m'y expédier tout droit en enfer ! Et s'il m'avait véritablement percée à jour ! Ai-je été aveugle au point de n'avoir rien vu ? Rien entendu ? J'ai foncé tête baissée, méprisante. Puis tout s'est fracassé.

Elle parle.

S'entend parler en même temps, comme si elle était aussi une autre :

— Me voici échouée en terre inconnue. Mais libre ! Débarrassée de tous mes oripeaux.

Elle regarde Sacha. C'est un autre Sacha qu'elle voit.

— L'ai-je, lui aussi enseveli sous la salissure de mes préjugés ? L'en ai-je libéré ? Que s'est-il passé, pour moi, cette nuit ? Et pour lui ?... Et maintenant où est la vérité ? Pour nous qui sommes juste là, à voguer sur les mots d'un poète...

Suit un long silence intérieur. Une Marisol s'interdit de parler. Une autre se passe de son autorisation :

— Et s'il était comme moi un naufragé heureux ? Et si comme moi et avec moi, il abordait la même terre inconnue ? Et si comme moi et avec moi, il voulait tout réinventer ?

Soudain la voix espiègle de son divin et facétieux cousin Alexis surprend Marisol.

— Dis le Marisol ! Dis-le !...

— Dire quoi ?

— Le prince charmant existe et tu l'as rencontré. C'est lui !

Marisol dévisage Sacha qui ne bronche pas. Il lui sourit paisiblement.

— Le voilà... Enfin ! poursuit la voix d'Alexis.

Les deux Marisol, qui ne font plus qu'une, éclatent de rire :

— Ça ?

— Eh oui ! Cet olibrius improbable sur l'épaule duquel tu te laisses aller... Là où tu as enfin envie de rêver... Où tu revis... Où tu te sens légère.

◆

Sacha revoit les yeux de Marisol. Il y voit l'océan, en admire tous les miroitements :

— Bleu… Gris… Émeraude… Turquoise… Je ne sais plus. Je ne sais rien. Je veux m'y perdre, m'y noyer. La plus belle, la plus suave des noyades. Celle du bonheur d'aimer. Et plus aucun poids pour m'entraîner vers le fond. Rien qui me retienne.

Mes fantômes m'ont quitté. Cette nuit les a tous convoqués. Je leur ai dit combien je les aimais. Je leur ai dit adieu.

✦

Marisol lève son visage vers celui de Sacha. Elle lui sourit.

— Mon prince charmant ! articulent ses lèvres. Leur grâce est infinie.

— Qui l'eût cru ! répond Sacha tout sourire.

Et il affiche l'expression émerveillée d'un enfant.

Épilogue

À cette nuit de toutes les tempêtes succéda une tout autre nuit.

À ce sourire d'enfant succéda un tout autre sourire.

Celui d'un père émerveillé devant la naissance d'un fils.

Celui de Marisol épuisée et heureuse d'avoir donné la vie.

À ce télescopage de visions détraquées succédèrent les images d'un accouchement en apesanteur. Pour le père s'entend.

Lui, il filmait, émerveillé, l'avènement de son enfant au monde.

Marisol souffrit un temps infini, qui heureusement ne dura pas trop longtemps.

Puis une immense joie vint illuminer son visage.

Et quand elle prit son nouveau-né dans les bras, contre sa poitrine, ce fut encore plus beau.

Jamais il n'avait vu Marisol aussi magnifique, aussi rayonnante.

Une caisse de champagne était prête sous le lit de la maternité pour célébrer des jours durant ce qu'il vécut comme un miracle.

Comment imaginer d'une naissance qu'elle ait la puissance d'une déflagration ?

Pacifique, tendre, précise, réparatrice.

Comme si un logiciel miraculeux lui avait remis le cerveau à l'endroit.

Une semaine de fête, en apesanteur, autour du lit d'une reine et d'un petit prince, dans un monde cette fois bien réel.

Le bonheur.

Imprimé en Allemagne
Achevé d'imprimer en janvier 2024
Dépôt légal : janvier 2024

Pour

Le Lys Bleu Éditions
40, rue du Louvre
75001 Paris